新 潮 文 庫

京都 恋と裏切りの嵯峨野

西村京太郎著

新 潮 社 版

6630

目次

京都　恋と裏切りの嵯峨野

第一章 嵯峨野《さがの》にて

1

警視庁捜査一課の十津川警部は、月一回、一日か二日行方不明になる。行先は、上司にも部下にもいわないし、妻の直子にも内緒である。時には、彼自身にも行先がわからないことがある。

朝起きると、とにかく東京駅まで行き、そこで行先を決めることがあるからだ。春、暖かい海を見たかったら、南房総行の列車に乗る。冬、厳しい海が見たくなれば、上越新幹線の切符を買う。

時には、静かに仏像と向い合い、古都の景色に接したくなることもある。そんな時には、京都までの旅に出るのだ。

行って、何をするというのでもない。一日中、ただぼんやりと海を眺めていることがある。うす暗い寺の本堂で、仏像と向い合うことがある。眼を閉じて荒れる北の海鳴りを聞くことがある。別に、悟りを開こうというのではなかった。第一、一日や二日で、そんなことの出来る筈《はず》がない。

一月の中の一日か二日、全く別の時間を持ちたいだけだった。

十津川の仕事は凶悪犯を追い、逮捕し、刑務所に送り込むことである。連続殺人犯、誘拐犯、強盗殺人、拳銃《けんじゅう》を振り廻して、何人もの人間を殺した男もいれば、美貌《びぼう》をエサに、次々に金持の老人を毒殺した女もいる。

十津川は、罪を憎んで人を憎まずといった器用な真似《まね》は出来ないから、罪も憎むし犯人も憎んでしまう。

従って、十津川の心も傷つき、がさがさしてしまうのだ。煙草《たばこ》を止めようと思いながら、止められないのも、毎日の緊張を少しでも和らげたくなるからだった。

それでも一ヶ月もすると、十津川の心は傷つき、疲れ、爆発寸前になってしまう。そこで、一日か二日の休みを取り、目的を決めない、小さな旅に出る。

無心にはなれない。ただ、ぼんやりと海を見るといいながら、さまざまな思いが脳裏をかけめぐる。

おれの人生は何なのか。このままでいいのだろうか。もっと別の生き方があるのではないか。答の見つかることのない悩みが、繰り返されるが、それでも構わないのだ。その時だけ、十津川は別の人生を生き、血なまぐさい時間を一瞬でも断ち切れるからである。

春の連休《ゴールデンウイーク》を、十津川は血なまぐさい連続殺人事件の捜査で過ごし、それが解決して、十一日から三日間の休みを取ることが出来た。

その一日目、十津川は例によってふらりと家を出て、東京駅に向った。この時点で、まだ何処《どこ》へ行くという決まりもなかったのだが、東京駅で、ふと京都のポスターを見て「ひかり」に乗った。

事件のことは全《すべ》て忘れようと、窓の外に眼をやる。

桜は散って、青葉の季節になっている。青葉の中を、犯人を追っていたというのに、いつでもそうなのだが、青葉の季節を意識した瞬間がなかった。

（因果な商売だな）

と、ふと思う。

こうして、わざわざ旅に出なければ、青葉が眼に入らないのだ。いや、眼には入るのだが見ていない。楽しんでいない。

ゴールデンウイークの終った平日ということもあって、車内は空いている。

京都へ行くのは、確か三度目である。前回行った時も、今日と同じように荒《すさ》んだ心をいやすためだった。あの時も幼児二人を殺した殺人鬼を追いつめ、部下の刑事一人が負傷したあげく、やっと逮捕した直後だったと思う。

もちろん、十津川はその事件のことを忘れるために古都へ旅したのだが、洛西《らくせい》を歩いているうちに、いつの間にか千灯供養《くよう》で有名な化野《あだしの》念仏寺に踏み迷ってしまった。

あの辺り、化野と呼ばれる一帯は、昔、風葬の地だった。そこに散らばる無縁仏を弔《とむら》うために、弘法大師が寺を建て、後年法然上人が、念仏道場とし、それが念仏寺になったもので、その境内《けいだい》には一万体余りの石仏や石塔が並んでいる。

八月に無縁仏の霊をなぐさめるために、その石塔に灯明を供えるのが千灯供養である。十津川が行った時は六月中旬で、夜、月明りの中でしばらく境内を埋めつくす石仏を眺めていた。

事件を忘れるために古都を訪れたのに、その夜、立ち並ぶ石仏に殺された二人の幼児の姿を重ね合せ、何時間も十津川は立ちつくしてしまった。しかし、あの時はあれで良かったという思いもある。

今回は三日間の休みが取れたので、京都に着くと、十津川はまず、泊るべき旅館を見つけることにした。

前に来たときには、京都らしい旅館ということで、祇園《ぎおん》のHという和風旅館にした。

料金は多少高かったが、近代的なホテルには泊りたくなかったのだ。

駅からHに電話をかけ名前をいうと、女将《おかみ》は十津川の名前を覚えていてくれて、空室があるという。こういうところは客室の少い小さな旅館の良さだった。

十津川はバスで祇園に行き、Hにまず入った。明治時代、華族の一人が別荘に使っていたという建物で、池を中心に部屋が設けられている。

女将は十津川の顔を見ると、「お帰りなさい」という。来者如帰というわけなのだが、柔らかい京なまりでいわれると、自然に微笑してしまう。

部屋に入り、中庭に眼をやりながら、お茶を飲んでいると、向い合う部屋でも若い女性が池の鯉《こい》に眼をやっているのが見えた。

ほの白い顔が寂し気だった。他に人の姿はなかったから、ひとりで京都へ来ているのだろう。

女は十津川に見られていることに、気付かずにいる。

十津川は柱に背をもたせて、彼女のことをあれこれ想像するのをしばらく楽しんでいた。

相手が美しければ美しいほど、何かかげりが見えれば見えるほど楽しい作業である。

灰皿を引き寄せ、煙草に火をつけた時、女はやっと十津川が見ていることに気付いて、障子を閉めてしまった。

「東京からお見えになった方ですよ」

と、背後から声をかけられて、十津川はびっくりした。

女将が、宿帳を持って入って来ていたのに気付かなかったのだ。十津川はそのことに赤面してしまい、

「いや、別に——」

「他のお客さまも、あの美人はどんな人だと、みなさん気にしていらっしゃるんですよ」

と、女将が微笑する。

十津川は、差し出された宿帳に記入しながら、

「何か、寂しい顔をしているのが気になってね」

「苦しいから旅に出るんです——かしら？」

「ああ、太宰治ね。そういう旅なのかな？ あの女性は」

「十津川さんは、どんな旅なんです？」

と、女将がきく。十津川は、刑事だとは話していないし、女将も彼の職業をあれこれ詮索《せんさく》しようとはしない。

「以前は、有名な仏像を見るのが楽しみだったんだが、この前、化野の念仏寺で石仏の列に圧倒されてね。ああいう無名の石仏を見るのが好きになったんだ」

と、十津川はいった。

「わたしも、あの石仏は見に行くんですよ。八月の千灯供養には必ずお参りします」

「あの先に面白い石仏があると聞いたんだが――」

「ええ。愛宕《おたぎ》念仏寺でしょう。化野念仏寺と違ってモダンな石仏でそれなりに人気がありますよ。化野念仏寺にいらっしゃったのなら、その先を愛宕《あたご》山に向って歩いていけば、五、六分ですわ」

と、女将は教えてくれた。

十津川は宿を出て、近くでおそい昼食をとってからバスに乗った。女将に教えられた前に来た鳥居《とりい》本《もと》でバスをおり、化野念仏寺をちょっと覗いてから、愛宕山への道を歩いて行く。

観光客の姿はほとんどない。この辺りは、嵯峨野の最北で、紅葉で有名な清滝への道でもある。

十津川は、山道を登って行った。どんよりと曇っていて暑い。女将のいう通り、五、六分で目的の愛宕念仏寺に着いた。清滝へ通じるトンネルの手前だった。

境内に入ると、成程、無数の石仏が並んでいる。化野念仏寺の石仏との決定的な違いは、表情の豊かさだった。向うの石仏の群れに漂うのは悲しみであり、寂しさである。

その悲哀に圧倒されるのだが、ここの石仏（羅漢《らかん》）が見せる表情には、悲哀もあるが、笑いもある。眠っている顔もあれば、ぽかんと口をあけている石仏もある。一つ一つ顔が違い、表情が違うのが楽しい。この寺の石仏は、信者が彫って寄進したといわれている。合掌しているのは、信心深い人が彫ったものか。鳩《はと》を抱いたものは、動物好きの人のものだろうか。

中には外国人のような顔をした石仏もある。外国人の恋人を持った女性が寄進したのだろうか。

自分の知っている誰かに似た顔を見つけるのも楽しかった。

上司の三上刑事部長に似た石仏は、三上本人のように、渋面を作って考え事をしている。亀井刑事に似た石仏は、下腹が出ていて、角張った顔で笑っていた。

屈《かが》んで見ていて腰が痛くなり、背伸びをしたとき、五、六メートル離れた場所に、見覚えのある女性がいるのに気がついた。

旅館で見た、あの女性だった。屈んで、じっと一つの石仏を見つめている。五、六分も、そのままの姿勢でいたろうか。十津川が気付いてからだから、もっと長い時間、見ていたのかも知れない。

彼女は急に立ち上がると、何かを断ち切るみたいに、全く振り返らずに境内を出て行った。

十津川は、彼女が見ていた石仏の前まで足を運んだ。

石仏は、風雨にさらされて、一様に黒ずんでいるのだが、中には真新しい石仏もある。それらの石仏は、まだ黒ずんでいなくて、石の白さがはっきりとわかる。

彼女が見つめていた石仏も、真新しいものだった。それも、まわりの石仏に比べて小さく、可愛《かわい》かった。微笑し、小さな両手を合せて、合掌している。

子供の顔だった。

誰が、何のために彫った石仏なのだろうか？

あの女と、何か関係がある石仏なのだろうか？

考えながら、愛宕念仏寺を出る。

まだ夕食まで時間があるので、嵯峨野を歩くことにした。

地図を見ながら、大沢池に向って歩いて行く。歩いている中《うち》に、女のことは忘れていった。もともと、日常の世界から離れるために来た京都である。一人の女性について、あれこれ想像をめぐらすのは、刑事の思考なのだ。

折から菜の花が満開で、ところどころに黄色いじゅうたんのように咲き乱れている。

大覚寺近くに広がる大沢池の周囲は、桜並木になっているのだが、もちろん、すでに花は散って、葉桜になってしまっている。

十津川は、しばらくの間、嵯峨天皇が中国の洞庭湖《どうていこ》を真似て造ったという人造湖を眺めていた。

その頃、この湖に平安貴族たちは舟を浮べて、観月の夕べを楽しんだのだろう。その頃から、人間はどれだけ進歩したのだろうかなどと、考えてしまう。文明は進歩したが、優雅さを失ってしまったのではないか。今でも、九月の仲秋の名月の夜には、竜頭船などを浮べて観月の夕べが催されると書かれているが、多分、形だけは似ていても、優雅さは戻って来ないだろう。

十津川は、更に北に向って歩いて行った。

竹林に囲まれた山深い道である。風にそよぐ、竹の鳴る音だけが聞こえてくる。眠くなるような静けさだった。

十分ほど歩いたところに、カヤぶきの庵《いおり》があった。一見したところ、山間《やまあい》の隠れ家のように見え、正面の額にも、右から左に、直指庵《じきしあん》とある。

観光地図には、尼寺とあった。五百円を払って中に入ってみる。

庭に面した座敷に、三人の若者が腰を下ろしていた。一組の男女のカップルと、もう一人は、あの女だった。

(また、会った——)

彼女は、膝《ひざ》を抱えるようにして、庭を見つめている。横顔からでも、きつい眼をしていることがわかった。

静寂が座敷も庭も、支配している。物思いにふけるには、最適の場所かも知れない。

しばらくして、女は近くにあった文机《ふづくえ》の上のノートに何か書きつけて、出て行った。

十津川と眼が合った筈《はず》なのに、表情一つ変えなかった。

十津川は、完全に無視された形になった。多分、眼が合ったと思ったのは十津川だけで、女は見ていなかったのだ。

(何か、思いつめているのか)

と思い、十津川は文机の上の大学ノートに眼をやった。

表紙に「想い出草」と書かれている。ページを繰ってみると、ここを訪れた人々の思い出や、悩みが書きつらねてある。圧倒的に女性の名前が多いのは、ここが尼寺のせいなのか、それとも女の方が正直なのだろうか。

やっと、彼のことを諦める決心がつきました。

東京　M子

不倫に疲れました。彼にも厭《あ》きました。

大阪　みゆき

そんな言葉が並んでいる。

十津川は、一番最後のページを開けてみた。彼女が書いた文字が、そこに並んでいた。

神さま、許して下さい。私は、彼を殺します。

東京　ゆみ

2

きれいな字だった。

だが、書かれている言葉は、怖かった。冗談で書いたとは、思えなかった。

十津川はノートを閉じると、あわてて、直指庵を飛び出して彼女を探した。

直指庵から大覚寺、大沢池までは、ほぼ、まっすぐの道である。その道を、十津川は駈《か》けた。

大沢池のところまで来たが、彼女は見つからなかった。どこか、脇道《わきみち》にそれてしまったのか。

大覚寺前にはバス停がある。そこからバスに乗ってしまった直後なのだろうか。

十津川の頭を、ここに来て、刑事の思考が支配してしまった。あの女が、この京都で誰かを殺そうとしているのなら、何としてでもそれを止めなければならない。

十津川は次に来たバスに乗って、旅館に戻ることにした。

祇園のH旅館に着くと、十津川は、迎えてくれた女将《おかみ》に、

「彼女、帰っていますか？」

ときいた。

「彼女って？　ああ、あのきれいな女《ひと》。まだ、帰っていませんよ」

「何処《どこ》へ行ったか、わかりませんか？」

「わかりませんけど、顔色を変えてどうなさったんです？」

女将は首をかしげている。

「彼女の宿帳を見せて貰《もら》えませんか」

「でも、本人に断わらないで見せるというのは――」

女将は当然のように、当惑の表情になった。

十津川は仕方なく、自分は警視庁の刑事であることを打ち明けた。

「彼女のことで、気になることがあるんです。だから、彼女が書いた宿帳を見せて下さい」

「それなら――」

といって、女将は、あの女の書いた宿帳を見せてくれた。

東京都世田谷区上北沢三丁目×番地
　ヴィラ上北沢306号
　　高木　亜木子

と、そこには書いてあった。あのノートにあった筆跡と同じだった。

「名前が違う」

と、十津川は呟《つぶ》やいた。

「名前が違うって、どういうことですの？」

女将が眉《まゆ》をひそめて、きく。

十津川は黙って、そこに書かれた住所と名前を手帳に書き写した。

「彼女が帰って来たら、すぐ、教えて下さい」

と、十津川は女将にいってから、自分の部屋に入り、東京の亀井《かめい》刑事に電話をかけた。

「警部は今、非番の筈《はず》ですよ。ゆっくり、休んで下さい」

と、亀井がいう。

「わかってるよ。だが、この女性については、至急調べて貰いたいんだ。わかったら、電話してくれ」

十津川がH旅館の電話番号を教えると、

「今、京都にいらっしゃるんですか。羨《うらや》ましいですな。すぐ、調べます」

と、亀井はいった。

一時間ほどして、亀井から電話が入った。

「今、問題のマンションの近くにいます。京王線の上北沢駅の近くです」

「それで、高木亜木子は？」

「年齢は、三十八歳。新宿の法律事務所で働く中堅の弁護士です」

「今、そのマンションにいるのか？」

「いいえ。新宿の事務所にいると思います。これから会いに行きますが、何を聞いたらいいんですか？」

と、亀井がきく。

「二十七、八歳で、ゆみという女を知っているかどうか聞いてくれ。今、京都に来ている女だ。その答も至急欲しい」

「何か事件ですか？」

「いや、まだ事件かどうか、わからないんだ」

と、十津川はいい、亀井に状況を説明した。

窓を開け、庭の向うの彼女の部屋を見たが、障子が閉ったままだった。

更に一時間近くして、亀井から二度目の電話が入った。

「今、新宿の山下法律事務所に来ていますが、高木弁護士は、ゆみという女は、知らないといっています」

「高木亜木子さんは、そこにいるのか？」

「ええ。いますよ」

「電話に出て貰ってくれ」

と、十津川はいった。

亀井の「うちの十津川警部です」という声が、聞こえてから、

「もしもし、高木ですが」

と、女の声になった。

「十津川ですが、本当に、ゆみという女性を知りませんか？」

「ええ。知りませんわ」

「二十七、八歳で、身長は一六三センチくらい。細面の、なかなかの美人なんですが、本当に知りませんか？」

「心当りありませんけど」

「今、京都の祇園のHという旅館にいるんですが、彼女は、宿帳に、あなたの住所と、名前を書いているんです。あなたと、関係のある女性だと思うんですがね」

「私は仕事上、いろいろな人に名刺を配っています。自宅の住所も書いてある名刺です

わ。その名刺を持っている人なら、私の住所も、わかると思います」

　と、相手はいう。

「そんなに、沢山《たくさん》の人に、名刺を渡したんですか？」

「ええ。それに、私が渡した人が、また、他の人に渡したということもありますし
――」

「困ったな」

「何か事件なんですか？」

「事件になるかも知れないことなんです」

「よく、わかりませんけど」

「あなたは弁護士だから、秘密は、守れますね？」

「ええ」

「全《すべ》てが冗談かも知れないんだが、そうでなければ、大変なことになる。そんな話なんです」

「どんな話ですか？」

「たまたま同じ旅館に、今いった女性が泊っていたんです。宿帳には、あなたの住所と名前を、書いていた。私は今日、北嵯峨の直指庵に行った。知っていますか？」

「名前だけは――」

「そこに、想い出草というノートが置いてあります。来た人がそのノートに、京都の思い出や悩みを書きつけていくんです。彼女もたまたまそこにいて、そのノートに何か書いたんです。何を書いたんだろうかと思って、彼女がいなくなってから、見てみたんです。びっくりしました。そこには、『神さま、許して下さい。私は、彼を殺します』と、書いてあったんですよ。そして、東京のゆみとあった。それで、あなたに電話したんです。冗談ならいいが、本当のことが書いてあったら、彼女は、京都で、誰かを殺す気です。刑事として、そんなことはさせられない。もし、彼女のことを知っているのなら教えて下さい。誰を殺そうとしているのか」

「きっと、冗談なんですよ。どんな女性か知りませんけど、人を驚かすのが、好きなんじゃありません？　他の観光客が読んで、びっくりする。きっと、それが楽しくて、書いたんだと思いますわ」

と、高木亜木子はいう。

「そうならいいんですが、私には、冗談だとは思えないんです」

「どうしてですか？」

「刑事の勘です」

「勘なんて、法廷では、何の証拠能力もありませんよ。私が法廷で、弁護士の勘でこの被告は無罪だといったら、裁判官はきっと吹き出しますわ」

「本当に、ゆみという女を知らないんですか？」

「知りませんわ」

高木亜木子の言葉は、そっけなかった。

「もう一度、ききますが、本当に知らないんですか？」

「ええ」

「亀井刑事に、代って下さい」

と、十津川はいった。

亀井が、代る。

「カメさん。そこを出て、すぐ私に、電話してくれ」

と、十津川はいった。

五分後に、亀井から、電話があった。その間に、十津川は旅館の女将に聞いたが、あの女は、まだ、帰っていないという。

「亀井です。今、法律事務所の外から、電話しています。警部は、その、ゆみという女が人殺しをすると、思っておられるんですか？」

と、亀井がいった。

「その恐れがあると、思っている」

「しかし、直指庵ですか、そういう寺のノートに、彼を殺すと書くでしょうか？　本気で、誰かを殺す気なら、黙って殺すんじゃありませんか？」

と、亀井はいう。

「確かに、カメさんのいうことにも、一理あると思う。ただ、カメさんは、彼女を見ていない。あの思いつめた顔を見れば、私と同じように不安になってくる筈だ。それに直指庵のノートにあんなことを書いたのは、多分、自分を追い詰めるためだと思う」

「決心をつけさせるためだと？」

「そうだよ」

「しかし、弱りましたね。その女の身元もはっきりしないし、殺すという相手の名前もわからないのでは」

「高木亜木子という弁護士は、何かを知っている筈だよ。名刺を貰っただけの女が、旅館の宿帳に、その名前を書く筈がないんだ」

十津川は、きっぱりと、いった。

「しかし、警部。知らないといっている女弁護士さんに、力ずくで白状させるわけには、いきませんよ」

「わかってる。何とか、聞き出せないかな？」

「まだ、起きていない事件ですからね。警察手帳を見せて調べるわけにもいきません」

「高木亜木子という弁護士について、何かわかっているか？」

「国立大出身の才媛《さいえん》です。在学中に司法試験に合格、独身。今、わかっているのは、それだけです」

「何とか、彼女について調べてみてくれ。必ずゆみという女性と、繋《つな》がりが、ある筈なんだ」

「何とかやってみますが、相手は何しろ、弁護士ですからね。下手に動き廻ると、告訴されかねません。そちらで、ゆみという女は、つかまえられませんか？」

「もちろん、こちらでつかまえられればいいんだが、まだ帰っていないんだ」

と、十津川はいった。

電話を切ると、十津川は、帳場へ出て行った。そこにいた女将《おかみ》に聞くと、女は、やはり、まだ戻っていないという。

「間もなく夕食の時間なのに、遅いですわねえ。十津川さんは、七時でよろしいんでしょう？」

「それで、いいですよ」

と、十津川はいった。

女将と仲居が、夕食を部屋まで、運んでくれる。

十津川の好きな懐石料理なのだが、食欲はわいて来ない。それでも、何とか食べ終る。

膳《ぜん》を片付けに来た女将に、

「彼女は、まだ、帰って来ませんか？」

「ええ。もう八時半なのに。どうしたんでしょうね？」

「彼女の部屋を調べたいんだが」

「いけませんよ。ご本人が、いないのに」

「わかっていますが、心配なんです。女将さんが、立ち会って下さい」

と、十津川は強い調子でいった。

彼の迫力に押されたのか、女将は、部屋に案内してくれた。

しかし、部屋に、彼女の持ち物は見当らなかった。十津川は、失望した。

「所持品はなしですか？」

「ええ。うちへ来た時も、白いハンドバッグしか持っていらっしゃいませんでしたよ」

「白いハンドバッグなら、持っているのを見ています。愛宕念仏寺でも、直指庵でも。他に、何も持っていないのか」

十津川はぶぜんとした顔で、部屋の中を見廻した。

これでは、何の手掛《てがか》りにもならない。

「彼女は、何日前に予約したんですか？」

「十津川さんと同じですよ。今朝、電話して来たんです。駅の案内所からで、空いていたら、今日と明日の二日間、泊りたいといって」

「二日間ですか？」

「ええ」

「外出する時は、何といって、出て行ったんですか？」

「七時の夕食までには戻って来ますと、いわれてたんですけどねえ」

「外から彼女に、電話はかかって来ませんでしたか？」

「それは、わかりませんわ。携帯を持っていたから、それを使えば、こちらの記録には残りませんからね」

と、女将はいった。

午後十時を廻っても、彼女は、旅館に戻って来なかった。

十時四十分に、亀井から十津川に、電話がかかった。

「まだ、彼女は、旅館に戻っていないんですか？」

「戻っていない」

「少し、心配ですね」

「大いに心配だよ。高木弁護士のことで、何かわかったか？」

と、十津川はきいた。

「たいしたことは、わかりませんでした。彼女のいる法律事務所には、五人の弁護士と、女事務員が一人います。評判のいい事務所です。高木亜木子ですが、山陰の米子《よなご》の出身です」

「京都に、近いんだな」

「近いといえば、近いですが。米子には、両親が健在で、家は旅館をやっています。四十一歳の兄がいて、すでに結婚しており、父親を助けて、旅館の副社長をやっています。妹は、おりません」

「妹はいないのか」

「残念ですが、おりません。従って、ゆみという女は、高木亜木子の妹じゃありません」

「妹という線は、無しか」

「明日になれば、高木亜木子が関係した事件や、彼女の大学の後輩なども、調べられますが」

「そうだな。その線も調べてみてくれ」

と、十津川はいった。

（だが、間に合うだろうか？）

十津川は、あの女が本気だと思っている。それは、彼の勘というより他に、形容の仕様がないのだ。誰もが見ることの出来るノートに、「彼を殺す」と書いたのは、自分の気持を決定的にしようとしたのだろう。ノートに記すことによって、自分の気持を引き返せないところに追い詰めようとしたのだろうと、十津川は、考えているのである。

彼女が何処《どこ》の誰を殺そうとしているのかも知りたいが、いつ殺そうとしているのかも知りたかった。

今日中に殺す気なら、そして、殺してしまったら、明日、亀井が高木亜木子についていろいろと調べてくれても、間に合わないのだ。

女は、その日、とうとう旅館に帰って来なかった。

十津川は女将に、警察に捜索願を出すように、すすめた。直指庵のノートのことは、黙っていることにした。京都の警察は、あのノートの文字を見ても悪ふざけとしか思わないだろうと、考えたからである。

女将は早朝、小雨の降るなか、祇園の中の交番に行き、泊り客の一人が、昨夜、外出したまま帰って来ないと、話して来たが、帰ってくると、十津川に、

「あれでは、本気で探してくれるとは思えません」

と、眉《まゆ》をひそめて見せた。

多分、京都に住む友だちの所にでも泊ったのだろうと、いわれたというのである。

「今の若い人は、何の連絡もせずに、そんなことをするんですって。二日前も、若いカップルが外出したまま、旅館に帰って来ないというので必死に探していたら、翌日、けろっとした顔で帰って来て、市内を歩いていたら大学の先輩に会い、その人の持つ琵琶

湖岸の別荘に泊って来たといったそうで、阿呆《あほ》らしくなったと、いっていましたよ」

「ちょっと、外出して来ます」

と、十津川はいった。

交番の警官の気持も、わからなくはなかった。最近の若者は、旅館に何の連絡もせずに帰って来ないことが、よくあるのだろう。そんなこと、自分の勝手ではないか、夕食が無駄になっても、ちゃんと料金を払っているのだから、いいじゃないかということなのだ。

しかし、今度は違う。一刻も早く、見つけ出さないと、死者が出ることになるかも知れないのだ。

こうなれば、直指庵に行って、あのノートを借りて来て、当地の警察に見せ、彼女を見つけ出して貰《もら》わなければならない。

バスを待つ時間が惜しいので、十津川は、旅館の前でタクシーに乗り、直指庵に向った。

途中で、止んでいた小雨が、また降り出した。北嵯峨の辺りは、雨が降っていると、さすがに肌寒い。

午前十時半頃に着いたのだが、観光客の姿はなかった。座敷にあがると、十津川は、まっすぐ文机《ふづくえ》の上にある大学ノートに、突進した。

「想い出草」という表紙の文字を確認してから、十津川は、ページを繰っていった。

そして、愕然《がくぜん》とする。

あの文字が無いのだ。ページ全体が、無くなっている。

きれいに一ページ分、破り取られていた。

誰かが、破り取ったのだ。

十津川は、念のために、この直指庵の庵主にきいてみた。あの女の書いた言葉、「彼を殺します」が刺戟《しげき》的すぎるので、庵主が、一存で破り捨てたかも知れないと、思ったからだった。しかし庵主は、言下に、

「そんなことは、しません。あのノートに何を書こうと、それは、ここに来られる皆さんのご自由ですよ。もし、私の好き嫌いで、破棄したりしたら、何のための想い出草かわからなくなってしまいますから」

といった。

「昨日の午後三時頃から今までに、何人の観光客がここを訪れているか、わかりますか？」

十津川は、きいてみた。

「全部で、三十人ぐらいです。若い方ばかりです」

と、庵主はいう。

「その中に、一人で二回、訪ねて来た人はいませんか？　若い女性なんですが」

十津川は、あの女の顔立ちや、背恰好《せかっこう》、それに昨日の服装について、説明した。彼女が殺人をやめることにしたのか、逆にあのノートのために、警察が動き、殺人を邪魔されるのを心配してか、どちらかの理由でもう一度ここに来て、自分が書いたページを、破り取って行ったのではないか。

そんなことも考えられたので、庵主に、きいてみたのだが、

「気付きませんでした」

という言葉しか、返って来なかった。

十津川は、空しく旅館に戻るより、仕方がなかった。念のために、破られたノートを、借りてきた。

一枚のページを破り捨てるためには、ノートの方を、片手で持つ必要がある。その方に、破った人間の指紋がついているのではないか。

十津川は、そのノートを、京都五条警察署に持ち込み、身分を明かして、指紋を採取して貰いたいと頼んだ。

相手は、変な顔をして、理由を聞いた。当然だが、十津川は、女のことはいわなかった。ただ、個人的な理由でとだけいった。

五条署が、指紋の表を作ってくれた。ノートの見開きのページについていた指紋は、

全部で、五つ。

そのあと、鑑識に一緒にH旅館に来て貰い、彼女の指紋を採って貰う。

「なぜこんなことをするのか、教えてくれても、いいんじゃありませんかね？」

と、鑑識が、文句をいう。

「ここに泊っていた女が、昨日から行方不明でしてね」

「それは、ここの女将から聞きましたよ。しかし、よくあることです。別に指紋まで採る必要はないでしょう？」

「実は、東京で起きた殺人の重要参考人に、よく似ているんです。それで、本人かどうか確認したい」

十津川は、嘘《うそ》をついた。

「直指庵の件も、同じですか？」

「そうです。彼女を、昨日、直指庵で見かけたのです。そして、彼女が、想い出草というノートの一ページを破いたのではないか。そういう疑いがあったので、調べて貰ったんです」

「どんなページですか？」

「それがわかっていれば、指紋を採るような面倒なことはしません」

「殺人事件ですか？」

「そうです」

「それなら、至急、調べましょう」

と、相手はいってくれた。

午後三時頃になって、五条署の井上という刑事から電話が入った。

「例の大学ノートですが、間違いなく、H旅館の泊り客の女の左手の指紋がありました。ただし、彼女が、一ページを破り捨てたかどうかは、わかりませんね。普通、ノートを左手で持って、ページを破るものでしょう。とすると、左手の方は、親指と他の四指で挟んで、押さえる。しかし、そういう指紋のつき方じゃありません。ノートを押さえるために、左手の指紋が、破られた前のページについています。つまり、書く時についたと考えられます」

「しかし、左手でノートを押さえておいて、ページを破いたということも、考えられるでしょう?」

「もちろん、その通りです。ですから、彼女が破いたとは、断言できないんですよ」

と、井上刑事はいう。井上は、それに続けて、

「ああ、彼女の指紋を警察庁に送って、照合して貰いましたが、前科者カードにはないそうです。もう一つ、どんな殺人事件の重要参考人なのか、知りたがっておりますが」

「すいません。今、携帯電話にかかって来てしまったので——」

といって、十津川は、あわてて電話を切った。これ以上、嘘を重ねるのは、嫌だったからである。

五、六分して、本当に、東京の亀井から電話が入った。

3

「高木弁護士ですが、とても優秀な弁護士で、かなり忙しいようです。今年になってからも、十件以上の事件を、彼女が担当しています。いずれも簡単な民事事件で、離婚問題と、経済事件です」

「それらの事件に、ゆみという女が、関係していることはないのか？」

「ありません。詳しく調べたんですが」

「他にわかったことは？」

「彼女の大学のことを調べました。ゆみが、二十七、八歳となると、高木弁護士の十年くらい後輩ということでしょう。前後二年として五年間の卒業生を調べてみましたが、残念ながら、その中にゆみという名前の女はいませんでした」

と、亀井はいった。

「本当に、全員調べたのか？」

「中退者も調べましたよ。だが、ゼロです。ゆみではなくて、由美子じゃないんですか？」

「いや、違うな。自分の名前をそんな風に、短かくしないだろう。女学生なら別だが、二十七、八歳の立派な大人なんだ」

と、十津川はいった。

だが、それで、手掛りが失われてしまったことは、間違いない。

「高木弁護士は、どうしてる？　少しは動揺しているように見えるかね？」

と、十津川はきいた。

「とんでもない。大きな離婚訴訟を抱えて駈《か》け廻っていますよ」

「大きな離婚訴訟？」

「今、ワイドショーで賑《にぎ》やかな、有名タレントとその奥さんの離婚事件ですよ。奥さんが、慰謝料で三億円を要求している――」

「ああ、知っている」

「高木弁護士は、奥さん側の弁護を引き受けています。われわれが介入することではないので、調べようがありませんが」

と、亀井はいう。

警察は民事に介入できない。亀井のいう通りなのだ。

「高木弁護士の趣味は何だろう？」

「多趣味な女で、絵を描いたり、焼き物をしたりですが、それから旅行にもよく行くようです」

「旅行か。それなら京都にも来てるんだろうね？」

「そう思いますが」

「昨日か今朝、京都へ来てないかね？」

「それはないと思いますが」

「昨日の午後五時までと、今日の午前九時からだが」

と、十津川はいった。午前九時から午後五時というのは、直指庵が開いている時間である。

「それはありませんね。昨日は、今もいったように、離婚訴訟の件で走り廻っていて、夕方の六時頃には、行きつけの新宿のイタリア料理店で食事をしながら、タレントの奥さんと会っています。また、今日は、朝から関係者に会っているのを確認しています」

と、亀井はいった。

そうだとすると、直指庵の大学ノートを破ったのは、高木亜木子ではないことになる。

「それから、彼女の名刺を手に入れたので、ＦＡＸで送ります」

と、亀井はいった。

五、六分して、旅館のFAXに、高木亜木子の名刺のコピーが送られてきた。
確かに、山下法律事務所と自宅の住所が印刷されている。

あの女は、この名刺を持っていて宿帳に書いたのだろうか。

（だが、なぜそんなことをしたのだろうか？）

と、十津川は思う。

でたらめな住所や名前だって、書けた筈《はず》である。十津川だって、自分が刑事だと知られたくない時は、住所は正直に書くが、名前は偽名にすることがある。

旅館の方だって、宿帳に書かれた住所、氏名が、本当かどうかなどは、めったなことでは調べない。あの女は初めて泊るというので、二日間の宿泊代を前払いしているのだ。

「私は、信用してましたよ」

と、現に、女将《おかみ》はいっているのだ。

それなのに、彼女は、実在の女弁護士の名前で住所を書き込んでいる。

なぜ、そんなことをしたのか？

（旅館が問い合せても、高木弁護士が適切な返事をしてくれると、信じていたのではないか）

と、十津川は思う。

だからこそ、あの女は高木弁護士の名前を宿帳に書きつけたのではないのか。

それだけの深いきずなが、二人の間にあるのではないか？

（ひょっとすると、高木亜木子は、あの女が京都へ来た目的を知っているのかも知れない）

とさえ、十津川は思う。

だが、高木亜木子は、彼女のことは全く知らないという。

（わからない）

と、思う。

友人や、知人をかばう気持は、わかる。十津川だって、友人が飲んで家を空けたとき、その奥方に私の家に泊ったと、嘘をつくことがある。女性は怒るだろうが、いわば、男の友情というやつである。

しかし、今回のことは、次元が違う。

あの女は、彼を殺すと、いっているのだ。いわば、殺人の予告である。

それに、高木亜木子は弁護士だ。それなのに、何も知らないという。

（どういう神経なのだ）

と、十津川は、無性に腹が立ってくる。今、眼の前に高木亜木子がいたら、殴りつけてでも、理由《わけ》を聞きたい。

落ち着けなくて、十津川は旅館を出た。

あの女は、まだ、この京都にいる筈である。京都は、狭い盆地にある町だといわれる。だが、一人の女を探すとなると、大変だった。観光客の数だって、沢山いる。

何処《どこ》を探したらいいかわからない。京都の警察に助けを求めるわけにもいかなかった。京都府警は、京都の事件を抱えている筈だし、十津川の心配していることは、まだ、起きていないのだ。その上、唯一《ゆいいつ》の証拠である直指庵のノートのページも、消えてしまっている。いわば、説得力はゼロである。

亀井たちを呼ぶことも、出来ない。東京でも殺人事件は起きているし、まだ起きていない事件、それも他府県のことである。そんなことに、刑事の派遣を上司が許可する筈がなかった。

十津川は、渡月橋《とげつきょう》までバスで行き、そこから、嵯峨周辺を当てもなく歩くことにした。

朝から降ったり止んだりしていた雨は完全に止んでいて、薄陽が射している。

渡月橋には、今日も、観光客の姿が絶えない。

橋の上の中央に立ち止まって、往来する人たちを眺める。が、あの女は見つからなかった。

橋の上流には堰《せき》があり、ダムのようになっていて、何隻《せき》ものボートが出ていた。

桂川は場所によっていろいろと名前を変えるが、この辺りは大堰川《おおいがわ》と呼ばれる。

五月第三日曜日の三船祭の時は、ここに、王朝風に着飾った人々が、竜頭船などに乗って舟遊びを楽しみ、扇流しが行われる。だが、今日は、静かである。若いカップルや、親子連れの乗った貸ボートが浮んでいるだけだった。眼をこらしたが、あの女の姿はなかった。

渡月橋を引き返し、貸自転車を借りて、念仏寺の方向へ向った。

良縁祈願で有名な野宮《ののみや》神社の前を通り、北へ向う。

途中には、芭蕉門下の向井去来が晩年を過ごした落柿舎《らくししゃ》がある。いつもの十津川なら、この質素な庵《いおり》の中で、ひと時を過ごすのだが、今日はちょっと覗《のぞ》いただけであの女がいないのを確めると、先を急いだ。

平家物語と関係のある祇王寺《ぎおうじ》や、同じく平家物語に出てくる滝口入道と横笛との恋物語で有名な滝口寺などがあり、観光客の数も多い。

昨日立ち寄った化野念仏寺を抜け、愛宕念仏寺へ寄る。

境内の石仏に接するとどうしても、彼女が見つめていた真新しい子供の石仏に眼が向いてしまう。

可愛《かわい》らしい笑顔で、合掌している石仏だ。幼くして亡くなった幼児の霊をなぐさめるために彫られたものだろうか。

さまざまな想像をめぐらすことが出来る。が、十津川はそれを自ら拒否した。妙な先入主を持ちたくなかったからである。

愛宕念仏寺を出ると、大覚寺と大沢池に向う。この辺りは北嵯峨といわれ、農家が多い。昨日と同じように黄色い菜の花が咲くのを見ながら、十津川は自転車を走らせた。

更に北に進んで、直指庵に着く。

借りていたノートを庵主に返す。この時間も座敷には数人の若者が、思い思いの恰好《かっこう》で庭を眺めたり、物思いにふけったりしている。

文机の上の新しいノートに、何か書きつけている女性もいた。

十津川は、しばらく自分も柱にもたれて入って来る観光客を眺めていた。もしかして、もう一度あの女が訪ねて来たらと思ったのだが、午後五時の閉門の時刻になっても彼女は、現われなかった。

あきらめて、直指庵を出る。まだ、十分に明るい。

何処へ行けば、彼女が見つかるという当てもないままに、十津川は地図を頼りに更に、東に向って、広沢池まで、自転車を走らせた。

広沢池は、大沢池の四倍の広さがあるが、ここも、人工の池である。京都は平安時代に唐の都を真似《まね》たためか、舟遊びのための人工池が多い。周囲の土手には、大沢池と同じように、桜の並木があるのだが、同じように花は散ってしまっている。

池の周囲をサイクリングしてみたが、彼女には会えなかった。

仕方なく渡月橋まで戻り、自転車を返してから、近くの喫茶店に入った。指月庵という店で、喫茶店というより、茶処という言葉の方が似合った造りだった。竹製の椅子《いす》や、座布団《ざぶとん》が楽しい。ここは、抹茶やコーヒーを自分でいれさせてくれるのだ。

十津川は、抹茶と和菓子を注文した。

ひどく疲れたのを感じていた。肉体的な疲れよりも、精神的な疲れである。彼女が見つからないという焦燥感《しょうそうかん》が、疲れの大部分を占めている。

念のために、H旅館の女将に電話してみたが、いぜんとして、彼女は戻っていないということだった。

十津川は、誰かが忘れていったらしい夕刊を手に取って広げてみた。

五月十五日に迫った葵《あおい》祭のことが、大部分だった。十津川は、この時期は来たことがないので、葵祭のことはよくわからない。

社会面を隅から隅まで見てみたが、殺人の記事は見当らなかった。

修学旅行で来た東北の中学生の一人が、遊んでいて旅館の屋根から落ちて怪我《けが》をした、バスと自家用車が衝突した、といった記事があるだけである。

十津川は、ひとまずほっとした。ひとまずというのは、殺しは行われたが、まだ、死体が見つからずにいるかも知れなかったからである。

第二章　竹林《ちくりん》の風

1

昨日の午前中まで降っていた雨のせいか、新緑が眼に痛い。今頃が、京都では緑が一番美しい時である。

京都の名所の一つ、嵐山の渡月橋《とげつきょう》の袂《たもと》には、観光客目当ての人力車が並んでいる。

観光客はここで人力車に乗って、渡月橋を渡るか、北の嵯峨野《さがの》に向う。

客が若い女性なら、まず立ち寄るのは、野宮《ののみや》神社だ。

野宮神社は源氏物語にも出てくる由緒《ゆいしょ》ある神社で、縁結びの神様として知られている。

それだけに、若い女性やカップルに人気がある。

だから、奉納される絵馬には、愛のメッセージが書かれていることが多い。

嵯峨野の竹林は、この野宮神社から始まるとみていい。

細い道の両側に竹林が広がる。

いわゆる竹の道である。

細く長い竹が、天に向って伸びている。何千、何万本とも知れぬ竹。その真っすぐな幹も青いし、葉も青い。まるで緑のトンネルだ。

そして、竹の葉の風にそよぐ音。

道の両側は密生した柴垣《しばがき》になっていて、歩いていては柴垣の内側は見えない。

人力車に乗った若い女が、竹の道を走りながら、ふと背伸びをした。

柴垣の内側、竹林の根のあたりが眼に入ったとき、そこに女性が倒れているのを見た。

「止めて！」

と、思わず彼女は叫んでいた。

若い車夫は女のいうことが信じられなかったが、それでも柴垣の傍《かたわら》へ寄り、背伸びをして内側を覗《のぞ》き込んだ。

近くの竹の根元、熊笹が茂っている地面に、花柄のワンピースを着た女が俯《うつぶ》せに倒れているのが見えた。

「死んでるの？」

と、客の女が車夫の背中に向って、きいた。

「動かないから、死んでるのかな。とにかく警察に電話しないと」

と、車夫はいった。

彼は野宮神社まで戻り、そこから一一〇番した。
十五、六分して、竹の道一杯を占領する恰好《かっこう》で、パトカー二台が入って来た。
刑事たちは柴垣を乗り越えて、竹林の中に入って行った。

柴垣の近くの地面、熊笹の上に若い女が俯せに倒れている。花柄のワンピースは昨日の雨で濡《ぬ》れている。

刑事の一人が、女ののどの辺りに手を当てたが、すぐ他の刑事に向って首を横に振って見せた。

「死んでいる」

刑事たちは、そっと死体を仰《あおむ》向けにした。

乾いた地面が現われた。が、刑事たちの眼は、女の白いのどに集中した。そこにロープの痕《あと》が、くっきりと見られたからである。

付近にロープは見つからない。明らかに、これは殺人なのだ。

鑑識が呼ばれた。

間もなく、鑑識の車も到着し、本格的な捜査が始まった。

京都府警捜査一課の石野警部が、この事件の指揮をとることになり、まず被害者の身元を確認することにした。

年齢は、二十七、八歳だろう。

だが、所持品らしきものは何も見つからない。ハンドバッグは、どこを探しても発見できなかった。腕時計はグッチ。だが、そう高いものではない。宝石も身につけていなかった。

石野は、発見者の人力車の客と車夫に話を聞いたが、参考にはならなかった。女の客が死体を発見したのは、偶然だったからである。彼女がその時、人力車の上で背伸びしなければ、気付かなかったろう。

犯人は竹の道で被害者と会い、ロープで首を締めて殺した。柴垣は、密生して作られているから、隙間《すきま》を作って、竹林の中に死体を投げ込むわけにはいかないだろう。

多分、死体を柴垣越しに、竹林の中に投げ込んだのだ。

一昨夜の雨は午後十一時半頃から降り始め、午前中には止んでいた。被害者の背中は濡れていたが、前面は濡れていないし、倒れていた地面も乾いていた。

被害者は一昨日、雨が降り出す前に殺され、竹林の中に投げ込まれたとみていいのではないか。

「身長一六三センチ、体重五〇キロぐらいかな」

と、石野は死体を見下していった。

「そのくらいでしょうね」

部下の吉田刑事が応じる。

「柴垣は人の高さに近い。その上を越して、道から竹林に投げ込むには、かなりの力が必要じゃないかね」

「そうでしょうね。犯人が二人なら、楽でしょうが」

と、吉田はいう。

「犯人は二人か」

「可能性があるということだけです」

吉田は謙虚にいう。

「観光客かな？」

「確か、祇園《ぎおん》の旅館から、泊り客の一人が外出したまま帰って来ないということで捜索願が出ています。それが女性客だった筈《はず》です」

「旅館の名前は？」

「ちょっと、忘れましたが――」

「すぐ、その旅館を調べて、責任者に来て貰《もら》うように伝えてくれ」

と、石野はいった。

風が強くなった。

「うるさいな」

石野は空を見上げて舌打ちした。

竹林がさやさやと風にそよぐのは、風情《ふぜい》があるが、風が強くなりざわついてくると、何か不吉な気分になってくるのだ。それに確かにうるさい。

捜査本部が設けられて、最初の捜査会議が開かれている最中に、祇園のH旅館の女将《おかみ》が顔を出した。

石野が応対したが、中年の男が女将について来ていた。

「警視庁捜査一課の十津川です」

と、その男はいった。

「本庁の警部さんがなぜ？」

石野がきくと、十津川は、

「ひょっとすると、被害者が私の知っている女性かも知れないのです」

「それなら、とにかく仏を見て下さい」

石野は二人に被害者の遺体を見せることにした。

女将は遺体を見るなり、青ざめた顔になった。

「この人です。間違いありませんわ」

といい、十津川はじっと見つめてから、

「彼女です」

「どんな知り合いか、話して下さい」

石野は相手が本庁の警部ということで、緊張し、少し挑戦的な表情になっていた。

「少々、とっぴに聞こえるかも知れませんが、本当のことです」

と、十津川は断ってから、直指庵《じきしあん》のノートに書かれた彼女の言葉や、高木亜木子という偽名のことを話した。

「確かにとっぴな話ですね」

「だが本当の話です。高木亜木子という女も、実在します。弁護士です」

「被害者は誰かを殺しに京都へやって来た？」

「ええ」

「それが、相手に逆に殺されてしまったということなんですかね？」

「その可能性はあります」

「今の話を、うちの本部長にもして下さい」

と、石野はいった。

十津川は捜査本部長の河原にも会い、被害者の説明をした。河原は肯《うなず》きながら聞いていたが、

「被害者は『彼を殺します』と書いたんだね？」

「そうです」

「すると、相手は間違いなく男だな。多分、以前彼女と関係があった男で、彼女を裏切った——」

と、河原はひとり言のようにいってから、

「それなら、彼女の身元がわかれば自然に犯人も浮んでくるな」

と、石野にいった。

「私もそう思います」

「これから司法解剖に廻るんだが、何か特に調べて貰いたいことがあるかね」

と、河原は十津川にきいた。

「彼女が子供を産んだことがあるかどうか、調べて貰いたいですね」

十津川は愛宕《おたぎ》念仏寺での女の姿を思い出しながら、いった。

女は、真新しい幼い子供の石仏を、じっと見つめていた。彼女は何を思いながら、あの石仏を見ていたのだろうか？　それと「彼を殺します」という言葉と、どんな関係があるのだろうか？　そして彼女の死と。

十津川はそのことを知りたくて、もう少し、京都にとどまることにした。警視庁の三上刑事部長と本多捜査一課長には、たまたま京都で殺人事件に遭い、参考人として京都府警の捜査に協力している、と報告した。

翌日になって、司法解剖の結果を府警の石野警部から知らされた。

「死因はやはり、ロープで首を締められたことによる窒息死ですが、後頭部にも深い傷があることがわかりました」

と、石野はいった。

「背後から殴られたということですね？」

「そうです。医者は、スパナかハンマーで二、三回、強打したのではないかといっています」

「じゃあ、犯人は二人いたことになりますね」

十津川がいうと、石野は、

「いや。一人でも背後からいきなり殴りつけ、気絶させておいてから、ロープで首を締めることは出来ると思いますよ」

「普通なら、その通りです。しかし、被害者は誰かを殺すために京都へやって来たんです。そして多分、その相手に会ったんだと思います。殺したいほど憎んでいる相手です。そんな人間と、しかも人気《ひとけ》のない竹の道で会っているんです。油断して、相手に背中を見せたりするとは思えないのです。だから、相手が二人いて、その一人が被害者の背後に廻り、いきなり殴りつけたんだと思いますね」

「そうですかねえ」

石野は、あいまいな表情になった。すぐ賛成しないのは仕方がないと、十津川は思った。多分、直指庵のノートのことも、半信半疑なのだろう。肝心のノートが破られてしまっているのだから、被害者が「彼を殺します」と、物騒な言葉を書いたというのを簡単に信じろというのが、もともと無理なのかも知れない。

「死亡推定時刻ですが」

と、石野は話を先に進めて、

「五月十一日の午後九時から十時の間です。われわれが考えた通り、やはり雨の降る前でした」

「あの辺りは、街灯がありませんね」

と、十津川はいった。

「あの辺りは風致地区だと思います。そんな場所に不粋《ぶすい》なものはつけません」

石野は、怒ったようにいった。

「とすると、夜の九時過ぎには、あの辺りは真っ暗になりますね」

「だから犯人と被害者は、車で行ったんだと思いますよ」

と、石野はいった。

「そうでしょうね」

と十津川が肯く。しかし、自然に疑問が表情に出てしまったらしい。石野は眉《まゆ》をひそ

めて、

「何か、疑問でもありますか？」

「いや、ありません。私も車が使われたと思っています」

十津川は、あわてていった。ここは京都である。ここで起きた事件は、あくまでも京都府警の所管なのだ。十津川は、他所者《よそもの》に過ぎない。

ただ、必要なことは聞きたかった。

「被害者が子供を産んだことがあるかどうかということはわかりましたか？」

「ああ、医者は、何年か前に子供を産んだことがあるといっていましたね」

と、石野は答えた。

十津川は石野と別れると、昼食をとりに京福嵐山線で、終点の嵐山駅まで出かけた。竹の道も、見ておきたかったからである。

十津川は駅を出ると、湯豆腐の店を探した。前に京都に来た時も、南禅寺近くの順正《じゅんせい》という店で湯豆腐を食べた。近頃、太るのを気にしているから、凝った京料理より、あっさりした湯豆腐がいい。

天竜寺近くを探すと、西山艸堂《せいざんそうどう》という店が見つかった。この店は、天竜寺の塔頭《たっちゅう》の一つ、妙智院の中にある店である。

湯豆腐は、禅宗の精進料理だったという話を聞いたことがあった。だから、京都では寺の中にある店が多いのだろう。

西山艸堂と横に書かれた大きな額がかかる門をくぐる。玄関までの小路を歩くと、静けさに包まれる。こういう雰囲気は、京都ならではのものだろう。

しかし、座敷は若い観光客で賑《にぎ》やかだった。若者にヘルシーさが受けているのだろう。

十津川は、三千円の湯豆腐定食を頼み、運んできた女性店員に、

「この近くで、若い女性が殺されたみたいだね」

と、声をかけた。

「へえ。三日前、ここにお見えになった方どすえ」

という返事が返ってきた。

「三日前というと、五月十一日だね？」

十津川は念を押した。

「へえ。五月十一日どす」

「何時頃来たの？」

「午後の三時頃でしたと思いますけど」

「ひとりだった？」

「へえ。おひとりでした」

「ここで、誰かと待ち合せたのかな？」

「腕時計をときどき見ておいやしたけど、お食事がすんだら、おひとりでお帰りになりました」

「それは何時頃？」

「四時頃だったと思いますけど――」

「四時頃ねえ」

死亡推定時刻は、午後九時から十時と聞いた。少しばかり時間があき過ぎる。

十津川は店を出ると、竹の道へ歩いて行った。細く長い竹の道だ。事件現場には目印の旗が立てられている。西山艸堂から、ここまで歩いても十分とかからない。

人力車や自転車が通る。が、自動車は見られなかった。観光客も歩いている人が多い。石野警部の言葉を借りれば、この竹の道を車で入るのは不粋というものだろう。

十津川は、柴垣《しばがき》にもたれるようにして、じっと竹林を吹き抜けてくる風の音を聞いた。

もし、あの女がここを歩いたのなら、この風の音はどう聞こえたのだろうか？ 爽《さわ》やかに耳に心地良かったのか？ それとも誰かの悲鳴に聞こえたのか？ もちろん、その悲鳴の中には彼女自身のものも含まれていただろうが。

十津川は、いったん旅館に戻り、夜九時に再び竹の道へ来てみた。

案の定、暗い。

ただ、青白い月の光が、昼間よりも一層幻想的な世界を作っていた。柴垣の茶色の線。

そして、その他は全《すべ》て緑の世界だ。それは美しいが、同時に恐ろしかった。もし風の音が無かったら、死の世界にも見えるだろう。夜の中で、風の音は救いに聞こえる。

あの女が昼間、ここを通ったことは、まず間違いないだろうと、十津川は思う。

西山艸堂で、彼女は食事をしながら、しきりに腕時計を見ていたという。誰かと待ち合せていたのだろう。相手が、直指庵のノートに「彼を殺す」と書いた、その彼だったかどうかはわからない。

その相手と彼女は、この竹の道を歩き、奥嵯峨の、あの愛宕念仏寺に行くつもりではなかったのかと、十津川はふと思った。

可能性はある。その相手が来なくて、彼女はひとりで竹の道を歩いたのか？

（夜も、彼女はここへ来たのだろうか？）

京都の店は、閉まるのが早い。目的の寺や神社が、午後五時には閉門してしまうから、その周辺の店も、自然に閉まるのが早くなってしまうのだ。

西山艸堂も、午後五時で閉店してしまう。

午後九時といえば、このあたりの寺社はすでに閉まり、店も終っている。それに、五月十一日は、夜おそくなって雨が降り出したから、午後九時にはどんよりと曇って、月も出ていなかったろう。

当然、もっと暗かった筈《はず》である。そんな夜の竹の道で、相手と会うだろうか？

府警の石野警部は、車でここへ来たと思っている。

確かに、今もヘッドライトを光らせて、タクシーがたまに入ってくる。

（だが――）

と、十津川は思う。

彼女が、犯人と車で、夜の九時過ぎにここへ来たとする。

犯人は、ここで彼女を殺した。そのあと、死体を柴垣の向う、竹林の中に投げ込んだ。

そういうことになるのだが、今日よりも、もっと暗い状況で、果してそんなことをする必要があるのだろうか？

車だって、たまにしか入って来ないのだ。

ここで殺したのなら、道の端に転がしておいて、車でさっさと逃げてしまえばいいではないか。

確かに、竹林の中に死体を放り込んでおけば、死体の発見がおくれるだろう。その時間が必要だったのか？

急に、またヘッドライトの明りが近づいてきた。それが、十津川の傍《そば》でとまった。

京都府警のパトカーで、石野がおりて来た。

「やっぱり、ここでしたか？」

と、石野がいう。

「何か、ご用ですか？」

「どうしても、仏さんの身元が割れなくて、困っているのです。十津川さんのいった東京の弁護士にも電話してみたんですが、全く知らないといわれましてね」

と、石野は困惑した顔でいった。

「しかし、彼女の名前を宿帳に記入したことは間違いないんです」

「それもいいましたが、名刺を見たんだろうというばかりでしてね。ただ、私は被害者が東京の人間だと確信しています」

「私も、そう思います」

「それで、あなたが東京に戻られたら、ぜひ、仏さんの身元の割り出しに、力を貸して頂きたいのです」

「わかりました。明日には、東京に帰るつもりです」

「旅館までお送りしましょう」

石野はパトカーのドアを開けて、いってくれたが、十津川はもう少しここにいたいといった。

パトカーが走り去ると、また竹林を渡る風の音だけになった。

十津川は、ゆっくり奥へ向って歩いて行った。歩きながら、考える。

五月十一日に、初めて彼女に会った。そして、その夜、彼女は殺されてしまった。

わずかな時間だが、彼女は十津川に強烈な印象を残していった。

最初に、旅館で中庭の池を見ていて、向い合う部屋にいるのに気付いた時は、きれいな女《ひと》だなという、ありきたりの感想しかなかった。

それが、嵯峨野の愛宕念仏寺で会い、どんな女性なのだろうか、どんな過去を持っているのだろうかという興味になった。

あの石仏のせいだ。

十津川は、有名な化野《あだしの》念仏寺には、前にも来たことがあった。いつ来ても、一万体余りの石仏や石塔に圧倒される。あの場所を支配しているのは、限りない静寂である。聞けば、あの場所は、あの世を現わしていて、中央にある仏陀《ぶつだ》を全ての石仏が見つめているのだという。限りない静寂は、そのせいだと、わかった。

それに比べると、愛宕念仏寺は、全く違っている。あの寺に並ぶ石仏――というより、羅漢《らかん》さんと呼ぶべきだろう。表情豊かな千二百体の羅漢は、泣き、笑い、眠り、怒りと賑やかである。眺めていると、彼等の声が聞こえて来そうな感じがある。

しかし、一つの羅漢を見つめていると、その表情は自由でなく、凍《こお》りついているようにも見えてくる。笑う羅漢の顔の裏に悲しみが、のぞいているのが伝わってくるのだ。

彼女が見つめていた羅漢が、いい例だと思う。幼い子供の顔だ。その顔は、微笑《ほほえ》んでいるようにも、悲しんでいるようにも見えた。

(彼女には、どう見えていたのだろうか)

翌日、十津川は帰京する前に、もう一度、愛宕念仏寺の、あの幼児の羅漢に会いたくて、朝早く、タクシーで出かけた。

まだ、他に、観光客は来ていなかった。

午前八時に門が開くのを待って中に入り、羅漢の並ぶ場所に急いだ。

幼児の羅漢の前に立ち、向い合う。

同じ思いに満たされる。この幼児は、微笑んでいるのだろうか。それとも、泣いているのだろうか。或《ある》いはまた、誰かに甘えているのだろうか？

ふと足元に眼を移すと、幼児の羅漢の前に、白い紙片が石を重しにして置いてあるのに気がついた。

屈《かが》んで、その紙片を拾いあげる。十一日夜の雨に濡《ぬ》れたのか、汚れていた。十津川は、広げてみた。

直指庵のノートのページだった。破られた一ページが、ここにあったのだ。

神さま、許して下さい。私は、彼を殺します。

東京　ゆみ

見覚えのある字だった。紙が雨に汚れていて、ずいぶん前に書かれた文字のように見えた。

（これを書いた女は、もうこの世にいないのだ）

その思いが、十津川を悲しくさせた。紙片をポケットにしまい、十津川は愛宕念仏寺を出た。

東京に着いたのは午後一時を廻った頃だった。

東京駅には亀井刑事が迎えに来ていて、パトカーに乗った。そうなると、いやでも警視庁捜査一課の刑事の気持が戻ってくる。

「これから、高木亜木子が働いている法律事務所に行きましょう」

と、亀井はいった。

「彼女のことで、新しくわかったことは何かあるかね？」

「女性弁護士としては、かなり有名だということがわかりました。テレビにもたびたび出演しているし、彼女をモデルにしたテレビドラマも作られています。彼女が資料を提供したもので、タイトルも、女性弁護士高木亜木子シリーズです」

「じゃあ、有名人なんだ」

「そうです。ただ、ほとんど民事をやっているので、われわれとは親しくなかったわけです」

2

彼女が働いている山下法律事務所は、新宿にあった。雑居ビルの五階だった。

十津川と亀井は、そこで高木亜木子に会った。美人なのだが、眼がきつかった。

「彼女が死にました。殺されたんです」

十津川は、単刀直入にいった。

亜木子はじっと十津川を見返して、

「彼女って誰ですの？」

「京都の旅館で、あなたの名前を使って、泊っていた女性ですよ」

「ああ。その女《ひと》」

亜木子は、軽くいった。

「京都府警は、身元の割り出しに苦労しています。物盗《と》りの犯行ではないので、被害者の身元さえ割れれば、自然に犯人も浮びあがってくると思っているんです。協力して頂けませんか」

十津川がいうと、亜木子は眉《まゆ》をひそめた。

「先日、そちらの刑事さんにも申し上げましたけど、私の全く知らない女《ひと》です」

「しかし、あなたの自宅住所と、名前を書いているんですよ。関係があると考えるのが当然でしょう」

と、亀井が横から亜木子を睨《にら》んだ。亜木子は、小さく肩をすくめて、

「だから、申し上げているでしょう。私の名刺を手に入れて、それを利用したんだろうと」

と、いってから、十津川には、

「警部さんには、渡してありませんでしたわね」

自分の名刺を取り出して、十津川に寄越《よこ》した。

「ご覧の通り、名刺には自宅とこの事務所の住所と電話番号を書いてあるんです。だから、それを書き写しただけだと思いますわ」

「しかし、会ったこともない女性弁護士の名前を使ったのは、何故《なぜ》なんですかね？ 普通は偽名を使うにしても、全く架空の名前にするか、本名を少し違えて使うと思うんですがね」

と、十津川はいった。

亜木子は、微笑して、

「私は、ちょっとだけですが、名前が知られているんです」

「知っています。ドラマにもなっていると聞いています」

「だからじゃないかしら？　女性がひとりで旅館に泊ったりすると、警戒されるでしょう。でも、弁護士なら、安心する。そう思って、私の名前を使ったのではないかと思ったりしているんですけどね」

亜木子は、落ち着いた声でいう。

十津川は、ポケットから例のノートのページを取り出して、黙って亜木子の前に広げて置いた。

「何ですか？　これ」

と、亜木子がきく。

「殺された女が、京都の直指庵の『想い出草』というノートに書いた言葉です」

「私とは、関係ありませんわ」

「本当に関係ないんですか？」

「ええ。ありません」

「京都へ行かれたことは、あるんでしょう？」

「大学時代に友だちと行ったことはありますけど、最近は忙しくて、旅行に出られません」

「愛宕念仏寺は知っていますか？」

「化野念仏寺なら、知っていますけど――」

　と、亜木子はいう。

　十津川は、一枚のポラロイド写真を取り出して、

「見て下さい」

　と、亜木子に渡した。

　愛宕念仏寺に行く前に、ポラロイドカメラとフィルムを買い、それであの幼児の羅漢を写してきたのだ。

「それを前に見たことはありませんか？　愛宕念仏寺にある千二百体の羅漢さんの一つです」

「そのお寺には行ったことはないと、いった筈《はず》ですけど」

　亜木子は怒ったように、十津川を見た。

　十津川は構わずに、

「殺された女性は、その幼い羅漢さんをじっと長いこと見つめていたんです。このノートの一ページも前に置いてありました」

「私には、関係ありませんわ」

「本当に関係ないんですか？　じゃあ、これ以上、何をいっても無駄ですね」

「無駄というより、私とは何の関係もないことを聞かれて、困っています。それが正直

な気持です。お帰りになるのなら、このノートのページとポラロイド写真を持って帰って下さい。私には、関係のないものだから」

と、亜木子はいった。

「ノートの方は捜査に必要だから、持ち帰りますが、写真の方は何枚も撮りましたから、置いていきます」

「置いていっても、破って屑籠《くずかご》に捨てますよ」

「それでも構いません」

十津川は亀井を促して腰を上げた。

ビルの横にとめておいたパトカーに戻ると、十津川は、

「カメさんにも、一枚、渡しておこう」

と、ポラロイド写真を取り出した。

亀井は、ハンドルに片手を置いたまま、写真を見て、

「可愛《かわい》い顔をしていますね」

「三、四歳といったところかな」

「不思議ですね。可愛くほほえんでいるのにじっと見ていると、寂しくなってくる」

「カメさんもそう感じるか？」

「ええ。よく、子供は三歳までに親孝行をしつくしてしまう、といわれるでしょう。息

子や娘を見ていると、その通りだなと思うことがありますよ。三歳までは可愛いだけです。何をやっても可愛い。親は、その子がいるだけで、幸せで一杯になるんです。ところが、三歳を過ぎる頃から、可愛らしさと憎らしさが入り混ってきましてね。息子の健一など、最近は憎らしいと思うことの方が多くなりました」

「三歳までに、親孝行か」

「だから、この羅漢さんは男の子で三歳ぐらい、何をやっても可愛い。そんな時の顔じゃありませんかね」

と、亀井はいった。

「だが、じっと見ていると、寂しくなってくる」

「ええ」

「なぜだろう？」

「そうですねえ」

と、亀井は考えていたが、

「子供というのは、意外にずるくて、嘘《うそ》もつくというでしょう。しかし、三歳まではそれがない。だから、笑っても泣いても何の企《たくら》みもないから透明です。透明さゆえの悲しさじゃありませんかね。あまりにも純粋なものに接すると、泣きたくなってくることがありますから。それと――」

「それと、何だい？」

「この子はすでに、死んでいる。その霊をなぐさめるために彫ったから、自然に悲しさや寂しさが出てしまったのか」

「それは、私も考えた。愛宕念仏寺の羅漢はプロが彫ったものじゃなくて、参詣《さんけい》した人が自分で彫って、奉納したものだというからね。ひょっとして、殺された女が幼くして死んだ子供の冥福《めいふく》を祈って彫ったものじゃないかと思って、今朝、行ったとき、寺の人に聞いてみた」

「それで、答はどうでした？」

「教えられないといわれたよ」

「殺人事件に関係している可能性があってもですか？」

「この羅漢を納めた人から、絶対に名前はいわないでくれと、いわれているというんだ。それに彼女が彫ったという証拠もないから、強くはいえなかった」

と、十津川はいった。

警視庁に戻ると、十津川は、まず、上司の本多捜査一課長に、休暇が延びた理由を改めて報告した。

「京都府警からは、被害者の身元の割り出しに協力して欲しいと、いわれて来ました」

「府警からは、文書で正式に協力要請が来ているよ」

と、本多はいった。

「高木弁護士が、知っていると思うんですが、駄目でした。全く知らない女性だと、いうばかりで」

「手強《てごわ》いな。今や、彼女は有名弁護士だから、無理に聞き出すことも出来ないよ。所長の山下弁護士もうるさがただし」

本多が苦笑する。

京都府警からはＦＡＸで、被害者の歯型が送られてきた。

身体的特徴や、血液型がABであることも書かれていた。その他、五、六年前に、帝王切開で子供を産んだと思われるという記載もあった。

捜査一課の刑事たちは、歯型を持って、都内の歯科医に聞いて廻ることになった。それに加え、彼女の似顔絵を手に、産婦人科医をめぐる聞き込みも始めた。似顔絵も、京都府警からＦＡＸで送られてきたものである。

どちらの聞き込みも、なかなか成果があがらなかった。

都内の歯科医と産婦人科医のリストを作り、それを一人ずつ、消去していくのだ。だが、いくつ消しても、空振りが続く。

念のためにということで、京都府警から被害者の指紋が警察庁に送られたが、以前調べたとおり前科者カードには、該当者は無かった。

十津川は、不安になってきた。

彼は、殺された女が東京の人間だと考えているのだが、それは、偽名に東京の女弁護士・高木亜木子の名前を使ったということと、ノートに「東京 ゆみ」とあったからである。

しかし、彼女が東京以外に住む人間だという可能性も、十分にあり得るのだ。日本全国の医者に当らなければならないとなったら、今より何倍も難しい捜査になってしまう。

十津川は京都府警の石野と相談して、全国紙に被害者の身元照会の記事を載せて貰《もら》うことにした。もちろん、二人だけの話し合いではなく、向うの捜査本部長と、こちらの三上刑事部長が、合意したことでもある。

その新聞記事には、彼女の似顔絵の他、十津川が提供した幼児の羅漢の写真ものせて貰うことにした。

直指庵のノートの言葉は、わざとのせなかった。

女は、殺しますと書いた相手に、逆に殺された可能性が強い。もし、ノートの言葉を新聞にのせると、犯人にいたずらに警戒されてしまうのを恐れたのだ。

もう一つ、ノートの言葉に、彼女は「ゆみ」と署名していることがあった。

その「ゆみ」というのが、彼女の本名かも知れない。

新聞で情報提供を求めると、沢山《たくさん》の情報が集ってくるが、その大半は間違いか、いたずらなのだ。それを判断するのに、ノートの「ゆみ」という署名が役立つのではないか。

この二つの理由で、十津川はノートについては発表しなかったのである。

十津川の予想通り、全国紙に記事がのると、手紙や電話が警察や新聞社にどっと寄せられた。

最初から明らかにいたずらとわかるものもあるし、娘が一年前から行方不明だという両親からの問い合せもあった。

失踪《しっそう》した女性の写真を送ってくる人もいた。が、十津川の見た被害者とは、最初から別人とわかる写真だった。

新聞には、一六三センチと書いているのに、行方不明の娘は「身長一五四センチで――」と書いてくる母親もいる。それだけ必死になって娘を探していて、一六三センチという言葉が、見えなかったのだろう。

警視庁が京都府警に協力する形で、集った情報の一つ一つを分析していった。医者探しも根気のいる作業だったが、こちらの方も根気が必要だった。時には、無駄足になっても、地方に住む情報提供者に会いに行かなければならないからである。

それに、こうした情報集めの常として、最初はどっと集っても、少しずつ減っていって、終《しま》いにはゼロになってしまうのだ。

五月末になっても、女の身元はわからなかった。

「どうも、おかしいな」

と、十津川は亀井にいった。

「おかしいですね。これだけ調べても、彼女がかかっていた歯科医も見つからないし、彼女を帝王切開した産婦人科医も見つからないというのは」

「それ以上に、私は身寄りや友人が警察に照会して来ないのが不思議なんだ。二十七、八の立派な大人の女なんだ。それに、美人だ。家族や友人、知人がいるのが当然じゃないか。その女性が京都で殺されたんだ。なぜ問い合せがないんだろう。新聞に出て問い合せは沢山あったが、全《すべ》て空振りだった」

「天涯孤独《てんがいこどく》ということは考えられませんか？ たまにそういう人間もいますよ」

と、亀井がいう。

「天涯孤独ねえ」

「いけませんか？」

「稀《まれ》には、そういう人もいるだろうが、たいていは親友が何人かいるものさ。家族もね」

「箝口令《かんこうれい》ということは、どうですか？」

「箝口令——？」

「そうです。何か理由があって、彼女を知っている人間の口が封じられている」

「誰が、口を封じるんだ？」

「そうですねえ。絶対的な権力者。その権力が怖いので、女の身元を知っている者も警察に対して、沈黙している。そんなことをふと考えたんですが」

亀井の言葉には、あまり自信がなさそうだった。

「少しばかり現実離れしているねえ」

と、十津川はいった。

電話が鳴り、西本刑事が受話器を取った。

「ええ。そうです。こちらでいいんです。被害者の名前ですか——」

と、西本は受け応《こた》えしていたが、急に送話口をおさえて十津川に、

「情報提供者ですが、女の名前は、ゆみじゃないかと、聞いています」

といった。

十津川は急いで、西本から受話器を受け取った。

「どうして、被害者が、ゆみという名前だと思うんですか？」

と、きいた。

「違うんですか？」

若い男の声がきく。

「いいえ、違いません。ゆみさんのフルネームを知っていますか？」

「いえ。ゆみさんとだけしか――」

男の声は、なぜか怯《おび》えているように弱々しかった。

「あなたは今、何処《どこ》にいらっしゃるんですか？」

と、十津川はきいた。

「京都です」

「京都の何処です？」

「それはいえません」

「なぜ、京都なのに京都府警に電話しないで、こちらに電話されたんですか？」

「ここの警察は嫌いなんです。そっちでは駄目なら切ります」

「とんでもない。とにかく、聞かせて下さい。殺された女性の詳しい身元です。住所や電話番号を知っているなら、教えて下さい。われわれとしては、一刻も早く犯人を捕えたいんです。そのためには、彼女のことを知りたいんです。どんなことでもいいから、彼女について知っていることを教えて下さい」

「彼女は、美しくて優しくて――」

「ええ。わかりますよ。他には――？」

「詩を書くんです。美しい詩です」

「じゃあ、詩人ですか？」

「いえ。好きで書いているだけなんですが、素晴らしいんです」

男の言葉はいらいらするほど、廻りくどい。十津川は少しずつ焦燥にかられてきた。

「あなたに会いたいんですが、京都の何処へ行ったら会えますか？　あなたの名前を教えて下さい。私は十津川です。十津川省三《しょうぞう》」

「駄目です。僕は会えません」

「もし、もし――」

「――」

電話は切れてしまった。十津川は受話器を置き、小さく溜息《ためいき》をついた。やっと信じられるのではないかという情報提供者にぶつかったのに、これでは何の助けにもなりそうにない。

「逆探知はできませんでしたが、テープは、とりました」

と、西本がいった。

十津川たちは、その短かい録音を繰り返し、聞いてみることにした。

少しはわかることがある。被害者は詩を書くのだ。電話の男はその詩に感心している節がある。

「一緒に詩の会でもやっていたんですかね？　或《あ》るいは文学の同人雑誌をやっていたとか」

「それも多分京都でだろう。このテープをもう一本作って、京都府警に送ろう。バックにいろいろな音が入っているが、東京のわれわれにはわからないからね。それと、京都で出ている同人雑誌を調べて貰う」

と、十津川はいった。

西本や日下がその作業にかかった。

十津川は煙草《たばこ》に火をつけた。

「今の男は、もう一度電話してくるかな？」

と、亀井にきいた。

「向うもいい足りなかったと思いますから、きっとまた電話してくる筈《はず》ですよ」

と、亀井はいった。

「そうあって欲しいんだが――」

だがその日は、かかって来なかったし、翌日も、男からの電話は入らなかった。

その間に、コピーしたテープが京都府警に送られ、テープについてのこちらの要望も電話で石野警部に伝えられた。

3

五月三十一日。今日で、五月も終りである。

この日の朝、十津川のところに、皇居外苑の中の公衆トイレで男が殺されているという知らせが入った。

十津川は亀井たちを連れ、鑑識と一緒に現場に急いだ。

警視庁とは、眼と鼻の距離である。

祝田橋《いわいだ》を渡って、皇居外苑に入る。右手に楠公《なんこう》の像があり、その近くに公衆トイレがある。

そのトイレの裏手で、若い男が後頭部をめった打ちにされて死んでいた。

近くに交番があるのだから、大胆不敵な犯行といえる。

死んでいる男の年齢は二十五、六歳か。うすいセーターの上に、ベージュのジャンパーを着ている。それにジーンズとスニーカー。

死体の傍の繁《しげ》み辺りで所持品を調べていた亀井が、十津川を見て呆《あき》れた顔で、

「何もありませんよ。財布も、手帳も、カードも、キーホルダーも、腕時計さえありません」

といった。

「身元を証明するものは、何も無しか」

「そうです。ジャンパーにもネームは入っていません」

「犯人が徹底的に身元のわかりそうなものを、全部持ち去ったということか」

「そうとしか、思えませんね」

「あれは、何だ？」

十津川は、男の口元に小さく白いものが見えたので、顔を近づけた。

何か、男が咥《くわ》えていて、その端が丸まっているのだ。十津川は男の口をこじ開けて、それを摘み出した。

小さな紙片だった。手帳を破いたものらしい。

十津川は、それを広げてみた。

警視庁捜査一課、トツガワショーゾー

と、ボールペンで乱暴に書いてあった。十津川はそれを亀井に見せた。

「なぜ警部の名前が、カタカナなんですかね？」

と、亀井が首をかしげた。

「多分、私の名前が漢字でどう書くか、わからなかったんだろう」

「と、いうと、電話で——?」

「ああ。この間、電話してきた京都の男じゃないかと思う。あの時、私は自分の名前を教えたんだが、どんな字を書くかはいわなかった。だから、相手はカタカナで書きつけたんだろう」

「すると、警部に会いに来て殺されたということでしょうか?」

「電話でいえないことがあって、わざわざ京都から東京に来たのかも知れない。それなのに、ここまで来て、殺されてしまったんだ」

十津川はそれが自分の責任のようにいい、舌打ちした。

「死ぬ寸前、彼は、この紙を口に含んだんですね。警部に知らせたくて」

「殺されたのは昨夜だろうな。明るければ、誰か目撃していて、死体から所持品を全部持ち去るなんてことは、出来ないだろう」

と、十津川はいった。

その証拠のように、男の後頭部から流れ出た血は、乾いてこびりついている。

二重橋の方には、すでに観光バスで来たグループが集まって、旗を持った添乗員の説明を聞いている。

今日は梅雨の晴れ間で、早朝から観光の人々がバスで来ているのだ。二重橋を背景《バック》に、記念写真を撮っている一団もいる。

昨日も昼間なら、今と同じように観光バスの一行が来ていたはずだから、ここで人を殺すことは不可能だろう。第一、団体客がいつ、この公衆トイレにやってくるかわからない。

「犯人は同一人物ですかね？」

亀井が、男の死体を見下しながら十津川にきいた。

「手口は似ている。京都でも、犯人は後頭部を殴りつけている。ただ、京都の場合は、そのあとロープで首を締めているがね。身元がわかるようなものを、全部持ち去っている点も、似ているな」

と、十津川はいった。

男の死体は、司法解剖に廻された。そのあと、十津川は京都府警の石野に電話で連絡した。

「京都から警視庁に電話してきたと思われる男が、警視庁近くの皇居外苑で殺されました。竹の道で死んでいた女のことを、知っていると電話でいっていた男です」

「どんな男ですか？」

と、石野がきく。

「二十五、六歳で、痩《や》せた男です。所持品が全く無いので、身元が割れません」

「京都のケースと、よく似ていますね」

「多分、同一犯だと思います。これで、完全に合同捜査ということになりそうです」

「こちらに送られてきたテープの男と考えていいんですか？」

「もう口が利《き》けないので、同一人かどうか断定は出来ませんが、そのテープの男だと思っています」

「なぜ急に、東京へ行ったんでしょうか？」

「直接、彼女のことで、警察に話したいことが出来たからだと思いますが」

十津川がいうと、石野は、

「それなら、なぜ京都府警に出頭して来なかったんですかね？　女の事件を捜査しているのは、あくまでも府警なんだから」

と、やや不機嫌な感じのいい方だった。

「それは、彼女が東京の人間なので、警視庁に話した方がいいと思ったからじゃありませんかね」

十津川は、そんないい方をした。

「テープのバックに聞こえていた音ですが、その中の一つは、嵐山電車の音だとわかりました」

と、石野は教えてくれた。

「嵐山へ行く電車ですね。私も、乗ったことがあります」

「あの電車は、一部区間で町中《まちなか》の路面を走るんです」

「ええ、知っています」

「嵐山電車が、路面を走っている時の音だとわかりました。道路上を走っているので、自然に自動車のエンジン音やクラクションの音も、バックに入ってくるんです」

「それで、いろいろな音が雑然と入っているんですね？」

「そうです。ただ、嵐山電車が路面を走る音と、自動車のクラクションだけは、はっきりとわかります」

「つまり男は、嵐山電車が路面を走っているあたりの家かマンションから、警視庁に電話していたことになりますね」

「そうなりますが、嵐山電車が路面を走っている区間はかなり長いので、そのどの地点と限定するのは、なかなか難しいのです。今、音の専門家に依頼して、路面電車の音と自動車のクラクションの他に、何か特別な音が入っていないか、それを調べて貰《もら》っています」

翌日になって、司法解剖の結果がわかった。

死因は、頭蓋骨《ずがいこつ》陥没である。

十津川は、死亡推定時刻の方に注目した。

五月三十日の午後十一時から十二時の間である。

十津川は、この時間に興味を持った。

恐らくこの日、この時間近くに東京に着いたのだろう。東京駅から警視庁までタクシーに乗れば、十分とかからない。

京都発二一時〇九分の「のぞみ30号」に乗ったのではないか。それなら、東京駅に二三時二四分に着くからだ。十津川は刑事たちを動員して、男を乗せたタクシーを探した。

時間を限定し、男の似顔絵を持っての聞き込みだったから、意外に早く結果が出た。

S交通の運転手が、午後十一時四十分頃、東京駅で、よく似た男を乗せたことがわかった。その運転手の名前は木村だった。

十津川と亀井は、東京駅八重洲口のタクシーのりばで、木村運転手に会った。

「妙な人でしたよ」

と、木村はいきなりいった。

「どんな風に、おかしいんです？」

十津川がきいた。

「乗ってまず、警視庁へ行ってくれといったんです。ところが、馬場先門の辺りまで来たら、急にここで降りるといい出したんです。警視庁は、もう、すぐそこだといったんですが、どうしてもここで降りるというんで、お濠端《ほりばた》で降したんです。どういうんですかねえ」

と、木村はいった。それなら、降りてすぐ、殺されたことになる。彼が殺されたことを、木村は知らないようだった。

「彼はその日のうちに、皇居外苑で殺されたんですよ」

と、十津川がいうと、木村はびっくりして、

「じゃあ、あそこで車を降りたあと、皇居外苑の中を、歩いて行ったんですね。あんな静かな所でも、人殺しがあるんですねえ」

「車を降りるとき、男は何かいっていませんでしたか？」

と、十津川はきいた。

「とにかく、ここで降りるの一点張りでしてねえ」

「誰かに、携帯電話で連絡をとっていたようなことはなかった？」

と、亀井がきく。

「携帯は、持ってなかったんじゃないかな。とにかく、電話はかけていませんよ」

「最初は警視庁へ行ってくれといい、馬場先門のところまで来て、急に降りるといったんですね？」

十津川は、念を押した。

「そうです」

「降りるといい出した時の様子は？」

　と、亀井がきいた。

「青い顔をしてましたね。今から考えると、声もふるえていたみたいだったなあ。あれは何だったんですかねえ」

　木村運転手は、ひとりで首をひねっている。

「青い顔で、声もふるえていたか。どうしてかな？」

　亀井が、呟《つぶ》やく。

「私は知りませんよ。とにかく、そんな風に見えただけなんですから」

「財布を持っていましたか？　彼は」

　と、十津川がきいた。

「ええ。料金を払ってくれましたからね。財布から出してくれました」

（やはり、財布は犯人が奪い去ったのか）

　しかし男は、いったい何に怯《おび》えていたのだろうか？

第三章　貴船《きぶね》　火の狂宴

1

その日、十津川と亀井は、午後十一時に殺人現場に出かけてみた。

昼間は皇居を見学に来る観光客やジョギングの人たちで賑《にぎわ》う場所だが、この時間になると人の姿はなく、街灯の青白い水銀灯の明りだけが、空しく輝いている。

時たま、タクシーが入って来るが、すぐ抜けて消えて行く。

二人はそこから、男がタクシーを降りた所まで、歩いて行った。

左手の奥に、交番の赤いランプが見える。

そこを通り過ぎ、大通りへ出た。

「ここで、男はタクシーを降りたんでしたね」

亀井は周囲を見廻した。まだこの時間、かなりの量の車が往来している。

「なぜ男は、ここで降りたんだろう？」

十津川は声に出していう。それがこの事件の第二の謎だった。

第一の謎は、男の身元である。

所持品の中に、男の身元を明らかにするものは、何も見つかっていない。

「タクシーに乗っていても、警視庁へ行くのなら、皇居外苑を突っ切って祝田橋《いわいだ》へ出るのが近道ですよ。たいていのタクシーはそうします。それなのに、男はタクシーをここで降り、やはり同じように皇居外苑に入って行ったんです。なぜそんな面倒くさいことをしたんですかね？」

「ここから、もう一度現場へ引き返しながら、考えてみようじゃないか」

と、十津川はいった。

二人は、また皇居外苑の中に入って行った。

「何かを見て、あわててタクシーを降りたんじゃないかと思っていたんだが、違うな。この時間、走っているタクシーの中から、何か、例えば自分を殺そうとしている人物を見つけたというのは、ちょっと考えにくいね」

十津川は歩きながらいう。

「そうですね。それに逃げようとして、タクシーから降りるというのもおかしいですよ。

捕まるために降りるようなものです。本当に逃げたいのなら、あそこの交番に飛び込むんじゃありませんか。しかし男は、この先で殺されていました」

「とすると、迷いかな」

と、十津川はいった。

「迷い――ですか？」

「タクシーの運転手は、男は青い顔で声もふるえていたみたいだったといっている。携帯電話は持っていなかったというから、電話で脅されたとか、何かの指示を受けたとかは、考えにくい。とすると、あと考えられるのは男が迷っていたということだ」

「警察に行くかどうかを、ここまで来ても迷っていたということですか」

「そうだよ。彼はわざわざ京都から東京に来たのに、それも警視庁を眼の前にして、迷ったんだ。それでタクシーを降りて考えようとした。タクシーでそのまま行けば、二、三分で警視庁に着いてしまう。そこで、ゆっくりと歩きながら、考えようとしたんじゃないか」

「なぜ、そんなに迷っていたんでしょうか？」

「それを私も知りたいと思っているんだがね」

と、十津川はいい、またしばらく歩いてから、

「京都府警の石野警部に電話したら、彼はこういっていた。嵯峨野《さがの》で起きた殺人事件と

よく似ていますね、と」

「どんな点でですか？」

「似ているというより、逆なんだ。女は東京の人間で、京都へ行き、殺された。男の方は京都の人間で、東京へやって来て、殺された。そして、共に身元不明だ」

と、十津川はいった。

「偶然ですかね？」

「わからないね。ただ、二人が知り合いということは考えられる。私に、京都で死んだ女のことをよく知っている、みたいなことをいっていたからね」

「そうですね。男は女のことを、美しく、優しく、そして美しい詩を書く、といっていましたね」

「テープの声を聞き直すと、明らかに彼は彼女を尊敬している。愛しているといってもいいだろうね」

「ねえ、警部。彼女が京都に行って殺してやりたいといっていたのは、あの男のことじゃありませんかね？」

亀井がいった。

「理由は？」

「女は観光に行った京都で、あの男と出会った。二人は愛し合うようになった。だが、女が東京に帰っている間に、男は裏切ったんです。他に女を作ったのかも知れません。結婚の約束をホゴにしたのかも知れません。或《あ》るいは、結婚しているのに独身だと嘘《うそ》をついたか。とにかく、裏切られた女は復讐《ふくしゅう》に燃えて、京都へ行った。そして直指庵《じきしあん》のノートに、彼を殺す、と自分を勇気づける言葉を書きつけたというのはどうですか？」

「ところが男に逆に殺されてしまったか」

「そうです。男は自分の犯したことに責めさいなまれ、自首するために上京したということです」

「実は私も、カメさんと同じことを考えたことがある」

と、十津川はいった。

「そうですすか」

「だが、私は違うなと思った」

「その理由《わけ》を聞かせて下さい」

「第一に、もしそうなら、男はわざわざ上京したりせず、京都の警察に自首した筈《はず》だよ。第二に、なぜ男まで殺されてしまったのかが、わからない」

「――」

「一番私が違うと思うのは、もっと直感的なものなんだ。私は短時間しか女を見ていないし、話したわけでもない。だがね、彼女が殺したいほど愛した男というのが、東京で殺された男と一致しないんだよ。イメージがね」

と、十津川はいった。

「しかし、警部は今、彼女のことをよく知らないといわれましたよ」

「ああ。だから直感だといってるんだ」

「女のことがわかれば、警部の直感が当たっているかどうか、わかると思うんですが。もう一度、高木弁護士に会う必要があると思いますね」

「私もそう思ったので、今日、彼女のいる法律事務所に電話してみたんだが、今、仕事で城崎《きのさき》へ行っているそうだ」

「城崎ですか」

「そうだよ。京都の先の城崎だ」

と、十津川はいった。

2

次の日、京都府警の石野警部から電話が入った。

「明日、京都へいらっしゃいませんか」

「男の身元がわかったんですか？」

　十津川が勢い込んできいた。

「いえ、その方は残念ながらわかりません。実は、明日の六月三日の夜、京都の北の貴船で火祭りがあるんです」

「鞍馬《くらま》の火祭ですか？」

「それは、十月二十二日に、由岐《ゆき》神社で行われる京都三奇祭の一つでしょう。明日行われるのは密教の新しい宗派が行うもので、今度で五回目になり、京都の新しい名物になろうとしています」

「その祭りを私に見せたいと？」

「そうです」

「なぜです？」

「来て下さればわかりますが、この祭りが今回の事件と関係がありそうなんですが、正直にいって、私自身にも判断がつかないのです」

　と、石野はいった。

　その言葉を十津川は気に入って、

「伺いますよ」

　と、いった。

　祭りは、夜の六時に始まるというので、十津川はそれに間に合うように六月三日、亀井と新幹線に乗った。

京都に着いたのは、午後五時前だった。

巨大な新しい京都駅は、新幹線ホームとは関係なく造られている。八条口に出ると、その駅ビルは全く見えない。

そこに、パトカーで石野警部が迎えに来ていた。

北へ向う車の中で、彼が説明してくれた。

「問題の宗派は真言密教の流れを汲《く》むといわれていますが、私は宗教にはうといので、正確なことはわかりません。五年前から急激に力を伸ばしてきて、現在、一万人の信徒がいるといっています」

「毎年、六月三日に火祭りをやるわけですか？」

「そうです。大きなスポンサーがついているらしくて、年々盛大になってきて、今では観光案内でも取りあげられるようになっています」

「しかし、それだけで私たちを京都に呼ばれたんじゃないでしょう？」

「この火祭りでですが、今年はいつもと違った法要をやると発表しているんですよ。もちろん国家安泰とか、国際平和とか、恒例の祈禱《きとう》はあるんですが、今年になってから京都で亡くなり、身元のわからない人たちの供養《くよう》もするといっているんです」

石野がいう。

「なるほど。その中に、問題の女性も入っているわけですか？」

「入っています」

「京都で、身元不明の死者というのは多いんですか？」

亀井がきいた。

「地元の人間では、めったにいませんが、他府県から来た人で死ぬ人は、意外といるんです。中には京都で死にたいという若い女性なんかいましてね。三千院の見える場所で、自殺した女子高生もいるんです。家出人捜索の届は出ているんですが、それが京都で出ていないので身元がわからずに、無縁仏の扱いになってしまったりするんです。外国人にもいるんですよ。不法滞在で、京都へ来て亡《な》くなったりすると、国籍もわからない」

「そういう人たちを、供養するというわけですか？」

「そうです。今年の場合、例の女性を含めて八人の男女だといっています」

石野が説明している間に、パトカーは貴船口に着いた。

右へ鞍馬川沿いに登っていけば、鞍馬の火祭で有名な、由岐神社や枕草子《まくらのそうし》で知られる鞍馬寺に行く。

パトカーは左へ折れて、貴船川に沿った山道を登って行った。

その先に、京の都の水の神を祭る貴船神社がある。

曲りくねった道のところどころに、旅館があるのだが、その一つが、営業不振で、問題の宗教法人に買い取られたのだという。

山の中腹を削った広い駐車場の一部で、今、火祭りの準備が、進められていた。

周囲にスチールパイプで、観客席が設けられ、団体バスも到着している。

広場の中央には、護摩《ごま》を焚《た》く祭壇が設けられていた。

花火が次々に打ちあげられて、祭りが始まるのを伝えている。

石野は駐車場にパトカーを入れ、十津川と亀井を、観客席に案内した。

「テレビカメラも入っていますね」

十津川は、周囲を見廻していった。

「今もいったように、五年たって京都の新しい風物詩の一つになっているんです。もちろん、テレビ放送の時間を、この宗派自身が買っているってこともありますが」

と、石野はいった。

近くの招待席には市長の一行もやって来たし、祇園《ぎおん》の舞妓《まいこ》や芸妓《げいこ》といったきれいどころも、姿を見せた。宣伝もうまいのだ。

夕闇《ゆうやみ》が濃くなってくると、祭壇の周囲の篝火《かがりび》に火がつけられた。

風が吹くたびに、火の粉が華麗に舞いあがる。

祭りが始った。

驚いたのは、BGMとして、今、若い人たちに人気があるというロックバンドの演奏が始まったことだった。

これが今様というのだろう。

山伏姿の男たちが護摩を焚く。さまざまな祈りを書いた木製の短冊《たんざく》が、次々に火の中に投げ込まれる。

ロック音楽が消えると、今度は僧たちの読経《どきよう》が拡声器を通して、大きな合唱のように、広場に流れてきた。

それは、高く、低く、波のうねりのように聞こえてくる。

どんな仕掛けなのか、それに合せて、祭壇の火が、高く低くなる。宙天高く、火柱が吹きあがるかと思うと、休息するように火柱が低くなるのだ。

広場の一角に白装束の一団が控えていた。百人ぐらいはいるだろう。どうやら信者の一団らしく、儀式が一段落すると、彼等の合唱が始まった。男女の混声コーラスで、きれいにハーモニィしている。ただ、誰かを讃美しているらしいのだが、歌詞ははっきりわからなかった。

「終ってから、責任者に会うことになっています」

と、石野が小声でいった。

「教祖ですか？」

「いや、広報担当の人間です」

午後十時を過ぎて、やっと火祭りは終った。

石野は十津川たちを、旅館をこわして建て直したという本院に連れて行った。

鉄筋コンクリートの建物である。その本堂の脇《わき》にある事務室で、十津川たちは、松岡功という男と会った。
三十五、六歳の背の高い男だった。

〈真言密教　十条寺派　本院広報課長　松岡　功〉

という名刺をくれた。

十条寺派というのは、教祖が十条寺尊栄という人間だからだという。

「真言宗の本部からは、どう見られているんですか？」

と、十津川は松岡にきいてみた。

松岡は、苦笑して、

「認めないという人もいますが、教祖は全く気にしていません。教祖にいわせれば、今や他の派の方が堕落して、本来の宗教としての意味を失っているわけですから」

「失礼ですが、松岡さんも僧侶《そうりよ》なんですか？」

十津川は、背広姿の松岡を見てきいた。

「修行はしています。それも厳しい修行です」

「なるほど。それで今日の火祭りなんですが、もう五回目だそうですね？」

「皆様のおかげで、五回目になります」

松岡は、如才なくいった。

「今回から、京都で亡くなった身元不明の人たちのための供養もすることになっていますね？」

「そうです。十条寺教祖が、考えられたことです」

「どうして、そんなことを考えたんですか？」

「実は今年の二月の初めに、十七、八歳の若い女性が、この本堂の階段の下で倒れていたことがあるんです。観光客のように見えました。すぐ救急車を呼びましたが、助かりませんでした。その後、警察で調べましたが、とうとう身元がわからなかったんです。それで教祖は、これも何かの縁であろうから、六月三日には、同じように身元不明のまま、京都で亡くなった人たちの供養をしようと、いわれたんです」

松岡は熱っぽくいった。

「その通りなんです」

と、石野警部が、肯《うなず》いて、

「雪の降る寒い日で、この本堂の下に、雪に埋もれるようにして死んでいました。死因は心臓麻痺《まひ》で、医者は疲労と寒さのせいだろうということでした」

「殺人の疑いは、なかったんですか？」

と、十津川は、石野にきいた。

「ありません。外傷もなかったし、首を締められた形跡もありませんでした。その上、身元を証明するようなものは、何も持っていませんでね。あの事件には困りました」

石野は、小さく溜息《ためいき》をついた。

十津川は、松岡に視線を戻して、

「五月十三日、嵯峨野の竹林で女性の死体が発見されました。明らかな殺人なんだが、女の身元がわからない。彼女も、今日、供養されたんでしょうね？」

「もちろん、今年京都で亡くなった身元不明の方は、全て供養させて頂きました」

と、松岡はいう。

「彼女は京都へ誰かを殺しに来たと思われるんですが、そのことは、ご存知ですか？」

「それは、石野警部さんに、伺いましたよ」

「どう思いました？」

十津川がきくと、松岡は、小さく眼をしばたいてから、

「私たちは、生前、どんなに邪悪な心を持っていようと、たとえ殺人を犯していようと、供養さえされれば、救われると考えていますから」

「救われるんですか？」

「当然でしょう」

と、亀井がきいた。

「今日、供養された八人は、この寺に葬られるわけですか？」

「そうです。この裏に、墓とその八人の人たちのための、羅漢《らかん》さんを作っています」

「ラカンさん？」

十津川が、おうむ返しにきいた。

松岡は、微笑して、十津川に、

「愛宕《おたぎ》念仏寺へ行かれたことは、ありますか？」

「先日、行って来ました」

「境内の石仏も、ご覧になりましたか？」

「見て、感銘を受けました」

と、十津川はいった。

「あれと同じものを、作ったんです。亡くなった方々は、きっと、美しい京都に憧《あこが》れて来たに違いないんです。それなら、悲しみだけではないと思うのです。ただ墓を作って埋葬するだけでは、亡くなった人たちの気持は、安らかには、ならないでしょう。だから石仏を作って、八人の魂を本当に、なぐさめることにしたのです。これも、教祖のお考えです」

「ぜひ、見てみたいですね」

「今日は、もう夜が更《ふ》けてしまいましたから、明日また、おいで下さい。皆さんのために扉を開けておきます」

と、松岡はいった。

広場では、白装束の信徒たちが、降り出した雨の中で黙々と、後片付をしていた。

それを見ながら、十津川たちは、市内の旅館に戻ることにした。

3

翌日、十津川と亀井は石野警部と共に、再び、十条寺派の本院を訪ねた。

間違いなく扉は開いていて、三人は境内に入ることが出来た。

本堂の裏には、松岡のいった通り、無縁仏のための新しい墓があった。

しかし、十津川が、関心を持ったのは、その墓を囲むように並べられた八基の石仏（羅漢）だった。

この京都で、今年になって亡《な》くなった身元不明の八人の男女の石仏である。

松岡は、「京都に憧《あこが》れて来たのだから、悲しみだけではなかったでしょう」と、いった。その言葉を表わすように、八つの石仏は、さまざまな表情をしている。

十津川は、自然に、その中に、竹林で死体となっていた女の石仏を探していた。

見つかった。

微笑し、何かを憧れの眼で見つめている石仏だった。

その顔は、間違いなくあの女である。

「彼女ですね」

と、石野もいった。

十津川は用意してきたポラロイドカメラで、その石仏を何枚か写した。

そのあと、本堂の事務室に行き、松岡にまた会った。

「見て来ました。あなたのいうラカンさんを」

と、十津川は、松岡にいった。

「そうですか。それぞれに違った表情をしていて、楽しかったでしょう」

松岡は、微笑して、いう。

「しかし、なぜ、彼女は笑っているんでしょう？　この通り」

と、十津川は、ポラロイド写真を松岡に示した。

「悲しみに打ちひしがれていなければ、いけませんか？　それとも、怒りに震えていなければいけませんか？」

松岡が、逆にきく。

「少くとも、彼女は京都に、男を殺しに来たんです」

「いつまでも悲しんでいたり、怒っていたんでは、救われないでしょう」

と、松岡は微笑した。

十津川は内ポケットから、愛宕念仏寺で写した幼い子の石仏の写真を取り出して、松岡の前に置いた。

「これを見て下さい」

「可愛《かわい》い羅漢さんですね」

「この羅漢を彫った人と、彼女の羅漢を彫った人は、同一人物ではないかと思うのです。表情もタッチもよく似ています」

「それで？」

「これを彫った人に会いたいんですよ。何という人で、何処《どこ》に行けば会えるのか、教えてくれませんか」

と、十津川はいった。

松岡は困惑の表情になって、

「残念ながら、それは出来ません」

「なぜですか？」

「これを彫った人は、自分の名前を知られたくないというんですよ。もし、知られてしまうと、これから、無心で羅漢を彫れなくなってしまう。それが怖いという人なんです」

「どうしても、教えて貰《もら》えませんか？」

「無理ですね」

松岡は、頑固にいった。

仕方なく、十津川は、石野警部たちと一緒に本堂脇《わき》の事務所を出た。

パトカーに戻った。

「あの広報課長がどんな人物か、わかりますか？」

と、十津川がきくと、石野は笑って、

「そういわれると思って、調べて来ましたよ。昼食を食べながら、話しましょう」

と、いった。

更に登って貴船神社の近くまで行けば、貴船川の清流に川床《ゆか》を出し、涼を楽しみながら食事が出来る、料理旅館などがあるが、それは六月中旬からで、今日はまだ川床が出ていない。

それで市内に戻り、石野の案内してくれた河原町六角東入ルにある「満亭」という洋食屋に行った。

聖徳太子で有名な六角堂の近くにある店である。

「昭和二十五年創業の店です。たまには、懐石料理以外の食事もいいでしょう」

と、石野はいった。

ここで三人は、エビコロッケ定食を注文した。石野に、それが一番美味《うま》いといわれたからである。

食事をしながら、石野が、松岡功という男のことを話してくれた。

「彼は今年、三十五歳になります。生まれは京都ではなく、東京です。京都のN大に入り、四年間生活している内に京都が好きになり、卒業後も京都に住みついた人間です」

「純粋な京都人じゃないんですか」

「ええ。N大を卒業後、京都のデパートに就職しましたが、彼は大学生の頃から寺や仏像が好きで、写真を撮ったり、絵を描いていたそうです。東京の両親が亡くなり、かなりの遺産を手に入れた松岡はデパートを辞め、主に仏像や仏画を商う古美術商を始めました。しかし、それに失敗。失意のどん底にあった時に、十条寺派の教祖に会って、あの寺で働くようになったのです」

「では、五年前からの信徒ですか？」

「いや、六年前からです。その頃の十条寺派は力も弱く、問題にされなかったんです。あの宗派が強大になっていったのには、松岡の力も大きかったといわれているのです」

と、石野はいう。

「彼が、どんな力を貸したんですか？」

十津川がきいた。

「今いったように、松岡は親の遺産を使って、古美術商を始めました。結果的に失敗したんですが、一時は金にあかして、高価な仏教美術品を買い求め、また、売っていたわけです。何しろ、両親が三十億近い遺産を残したといわれてましたからね。そうした美術品の売買を通じて、京都の有力者と知り合っていったんです。それが、財産になっていたんですよ。あの宗派が古都の有力者に支持されるのに、それが役立ったことは間違いありません」

と、石野はいった。

「彼は独身ですか？」

「独身だと聞いています」

「女性関係の噂《うわさ》は？」

「聞いていません。というより、聞こえて来ないんです。宗教の信徒というのは、口がかたいですから」

「教祖は、どういう人間なんですか？」

と、亀井がきいた。

石野は、一枚の写真を十津川たちに示した。

四十五、六歳で小太り、山伏姿の男の写真だった。

「これが教祖ですか？」

十津川がいうと、石野は肯《うなず》いて、

「彼が、十条寺尊栄です」

「真言密教の坊さんなんでしょう？」

亀井がきく。

「本人は、そういっています。十年近く、密教の修行をしてきたといっていますが、同じ密教の僧の中には、十条寺尊栄などという僧がいたなんて聞いたことがないという者もいます」

「そういうことは、調べれば真偽がわかることじゃありませんか？」

十津川がいった。

「それが、そう簡単ではないんです」

「どうしてですか？」

「貴船にあるあの寺の名前ですが——」

「十条寺でしょう。教祖と同じ名前の寺だなと思ってましたが——」

「あそこではありませんが、十条寺という寺があったんです。京都府の北、丹後の方ですがね。小さな寺で、潰《つぶ》れかけていました。それを、ある男が買い取りましてね」

「寺が買えるんですか？」

「本当は寺は売買の対象にはならないんでしょうが、金に困った住職が、その男を養子の形にして、寺を明け渡してしまったんです」

「その男が、十条寺尊栄ですか？」

「そうです。そのうちに、彼は新しい十条寺派の教祖となり、今の大きな教団を作り上げたんです」

「真言宗の方が、よく黙っていますね」

「十条寺の方は破門されたって平気なんですよ。勝手に真言密教を名乗っているんですが、あれだけ大きくなってしまうと、なかなか潰れません」

「大きなスポンサーがついていると、いわれましたが、どんなスポンサーですか？」

と、十津川がきいた。

「松岡広報課長のつながりで、有名病院の理事長などがあの宗派を応援していますが、経済面のスポンサーというと、Ｋホテルの会長でしょうね」

「五十嵐《いがらし》敬介？」

「そうです。東京、京都、大阪にホテルを持つ五十嵐会長です」

「なぜ、彼がスポンサーになっているんですか？」

「よくあるケースなんですが、五十嵐敬介の息子で、現在Kホテルグループ社長の太郎さんが、原因不明の熱病にかかったことがありましてね。医者がサジを投げてしまい、敬介氏が十条寺の教祖に祈禱《きとう》を頼んだんです」

「それで、病気が治った？」

「そうです。それから、あの宗教のスポンサーになっているんです」

「信徒一万といわれていますが、本当ですか？」

「わかりません。いろいろな話がありますからね。せいぜい、二千人くらいのものだろうという人もいます。私も、一万人というのは少し誇大気味だと思っていますが、連中の団結は強固ですよ」

「わかります。信徒の一団が昨夜の火祭りの中で、陶酔していましたからね」

十津川は、コーラスをやっていた白装束の一団を思い出して、いった。

食事をすませると、三人は大丸デパートの中にあるイノダコーヒ店で、コーヒーを飲みながら、話の続きをすることにした。

イノダコーヒは、昭和十五年創業という古い店で、京都の人間なら誰でも知っていると、石野はいった。

この店は、ミルクや砂糖を最初から入れて出す。もちろんブラックでいいといえば入れないが、店の人間には、自分たちがコーヒーが一番うまく飲めるミルクや砂糖の量を知っているという自負があるのだろう。

だから、テーブルに、ミルクも砂糖も置いてない。

「私が気になっているのは、この石仏（羅漢）なんです」

と、十津川は二枚のポラロイド写真をテーブルに並べた。

愛宕念仏寺で撮った幼児の石仏と、十条寺で撮ったあの女の石仏である。

「どう見ても同じ人間が彫ったものだと、私は思うんですがね」

と、十津川はいった。

「確かに、よく似たタッチですね」

石野警部もいう。

「だから、会いたいんですよ。彫った人間は何か知っていると思うんです。少くとも、この幼い石仏と女の関係について何か知っていると思いますね」

と、十津川はいった。

「わかりました。彫った人間を探してみましょう」

石野自身も、興味を持った様子で約束してくれた。

4

だが、なかなか捜査は難航しているらしく、翌日一杯、石野から何の連絡もなかった。

二日目になって、やっと石野から電話が入った。

「例の石仏を彫った人物がわかりましたが、ちょっと変った人間でしてね」

と、石野はいう。

「京都の人ですか？」

「そうですが、相沢圭一郎という五十六歳の男なんです」

「どんな風に変っているんですか？」

「本業は医者で、石仏は趣味で彫っているんです。赤ひげみたいな医者で、警察嫌いということですから、まともに聞いても、何も答えてくれないと思います」

「弱りましたね」

「ただ、女性と酒は好きだと聞いています」

「え？」

「十津川さんは、祇園《ぎおん》のお茶屋で遊んだことがありますか？」

と、石野がきく。

「残念ながらありません」

「今夜、相沢さんを祇園のお茶屋に招待しました」

「私たちが行っても構わないんですか？ 一見《いちげん》の客は断わられると聞きましたが」

「私と一緒なら大丈夫です。ただ弱ったのは、その費用なんです。どうも経費で出ないような気がするんです」

と、石野はいう。

「それなら、私に委《まか》せて下さい」

「警視庁からは出るんですか？」

「いえ。実は、私の家内の叔母が資産家でしてね。私もその関係で、余分な小遣いが使えるんです」

と、十津川はいった。

夕方になって、十津川たちは再びイノダコーヒ店に集まった。

お茶屋へ行ったことのない十津川と亀井がどう振舞ったらいいか、石野に聞くためだった。

「今日は舞妓《まいこ》を三人呼んであります」

と、石野はいう。

「舞妓というと、いくつぐらいなんですか？」

亀井がきく。

「だいたい二十歳前です。二十歳になると、たいてい襟《えり》がえをして、芸妓になりますから」

「じゃあ、まだ、子供なんだ」

「そうです。可愛《かわい》いです。お茶屋のおかみさんが、全て心得ていてやってくれますから、客はただ舞妓との会話を楽しめばいいんです」

「お茶屋でしていけないことを、教えておいて下さい」

「そうですね。普通にしてくれていればいいんです。ああ、舞妓の髪には触らないで下さい」

「なぜです？」

「芸妓はかつらですが、舞妓は地毛《じげ》で髪を結っていて、崩されるのを嫌いますから」

「ああ。それから、キャッシュカードで一応五十万はおろして来たんですが、それで足りますか？」

と、十津川はきいた。

石野は微笑した。

「それだけあれば十分です。それから、舞妓には忘れずに、ご祝儀《しゅうぎ》をあげて下さい」

「私はどうもああいうのが苦手で、いつ、どの位包んであげたらいいんですか？」

「お茶屋のおかみさんが、全《すべ》て心得ていて教えてくれます」

「花代の他に、ご祝儀がいるんですか？」

亀井が、不思議そうにきく。

「舞妓というのは、何軒かある置屋に所属していて、食事も、お稽古《けいこ》の月謝も、着物も、全てその置屋が持ちます。ただし、舞妓は収入というものがありません。ですから、舞妓はお客のご祝儀だけが頼りなんです」

「わかりました」

「十津川さんたちを刑事だとはいっていません。ただ、私の友人だといってあります。それは心得ていて下さい」

と、石野はいった。

その他、石野は京都には、五つの舞妓のグループがあり、今日はその中の祇園甲部に行くのだといった。

石野が案内したのは、小和田というお茶屋だった。

格子戸《こうしど》のある二階屋で、「小和田」という小さな表札が出ているだけの家である。

石野が先に立って、格子戸を開けて中に入る。初めての十津川と亀井は、何となくキョロキョロ見廻してしまう。ひっそりと静かである。

打水をした玄関に立ち、石野が奥に向かって、

「今晩は」

と、声をかけた。

奥から六十歳くらいの小柄な和服姿のおかみさんが出てきた。

「石野です」

「もう、相沢さんが来て、お待ちですよ」

と、おかみさんがいう。

三人は急な階段を二階にあがった。

八畳ほどの和室に、中年の男が先に来て待っていた。

石野がまずあいさつし、十津川と亀井は、東京の友人と紹介された。

それを待っていたように、ビールと酒のつまみが運ばれてきた。
五、六分すると、階下で華やいだ声が聞こえ、三人の舞妓が三味線《しゃみせん》を持った地方《じかた》と一緒に入ってきた。
間近で見る舞妓は白塗りの顔で、美しいというより、人形のように見えた。

三人は、自分たちの小さな名刺をくれた。

そのあと、地方の三味線と唄《うた》にのって、金屏風《きんびょうぶ》の前で、定番の「祇園小唄」を踊った。

どこかまだぎこちなくて、可憐《かれん》な感じだった。

あとは、酒宴になった。

舞妓にすすめられるままに、ビールを口に運ぶ。

おかみさんが襖《ふすま》を小さく開けて、眼で合図した。それを受けて、石野が、十津川に、

「お願いします」

と、囁《ささや》いた。

十津川は立って部屋を出た。おかみさんと一緒に、階下におりる。

「舞妓に、ご祝儀をあげておくれやす」

と、おかみさんがいう。

「私は初めてなんで、いくらぐらいあげていいかわからないんですが」

「今日は、一人五千円で十分です」

「いいんですか？　五千円で？」

「へえ」

「五千円札も、祝儀袋もないんですが――」

と、十津川は地方を入れて四人分の二万円を渡すと、

「こちらで、祝儀袋も用意します」

と、おかみさんはいった。

十津川が部屋に戻って、ビールを飲んでいると、おかみさんがあがってきて、三人の舞妓と、地方の胸元に小さな祝儀袋を差し入れた。

「これ、向うの旦那《だんな》さんから」

と、眼で十津川を示した。

舞妓たちが「おおきに」と、十津川に向かって頭を下げる。

（いい気分のものだが、ちょっとした儀式だな）

と、十津川は思った。

ビールの他に、伏見の酒も運ばれてきた。石野がいったように、相沢は酒好きらしく、ピッチをあげて杯を干していく。

十津川は、相沢が酔ってきたのを見計らって、

「愛宕念仏寺で、相沢さんの彫った石仏を拝見しました。幼い児が笑っている羅漢さんです」

と、話しかけた。

「私が彫ったと、寺の住職が喋《しゃべ》ったんですか？」

相沢が眉《まゆ》を寄せる。

「最初は教えてくれませんでしたが、私がしつこく聞き出したんです。私の知っている女性の子供にあまりにもよく似ていたもんですから」

と、十津川はいった。

「あなたの知っている女？」

「ええ。同じ東京の女性で、京都が好きでした。先日、京都で亡《な》くなりました。憧《あこが》れの京都で亡くなったんだから、本望だったと思います」

「――」

「六月三日には、貴船の十条寺で火祭りを見てきました」

「あれは、素晴らしい」

「その時、境内で彼女の石仏を見たんです。相沢さんが彫った羅漢さんです。これも素晴らしいと、感銘を受けました」

十津川は、二枚のポラロイド写真を相沢に渡した。

相沢は、それを手に取って、酔った眼で見つめた。舞妓の一人がそれを横からのぞき込んで、

「まあ、可愛い！」

と、声をあげた。

「確かに、二つとも私が彫った羅漢だが――」

相沢が肯《うなず》く。

「その女性ですが、私にはゆみと名乗っていたんですが、実はそれが本名かどうかわからないんです。何とかして、本名かどうか知りたくて――」

十津川がいうと、相沢は、

「私も、彼女の名前は知りませんよ」

「でも、子供を彫られた時は、彼女のことをよく知っておられたんでしょう？　彼女に頼まれて、その子の羅漢さんを彫られたんじゃありませんか？」

「いや、知らん」

「知らないで、彫ったんですか？」

「君は、なぜそんなことをくどくど聞くのかね？　刑事か？」

「いや、違いますが」

「それなら、聞くな。不愉快だ！」

相沢は急に怒り出し、ぷいと席を立ってしまった。

止める間もない勢いで、襖を開け、音を立てて階下へおりて行く。続いて格子戸を開ける音がした。

三人の舞妓も、ぼうぜんとしている。

「どうしやはったんどすか？」

と、舞妓の一人が心配そうにきく。

「いや、いいんだ。今日はこれでお開きにしよう」

石野は、笑って見せた。

「すいません。少しあせってしまいました」

と、十津川が石野に頭を下げた。

5

このあと、石野は十津川と亀井を旅館まで送ってくれた。

「相沢の病院はわかっていますから、今度は堂々と、刑事と名乗って会いに行こうじゃありませんか」

と、石野は慰めるようにいった。

「彼は、彼女の名前を知っているんでしょうか？」

「わかりませんが、彼が子供と、彼女の羅漢さんを彫ったことは、事実なんです。たとえ女の名前は知っていなくても、彫った事情は話してくれると思いますよ」

と、石野はいった。

「お願いします」

と、十津川はいった。

石野が帰って行ったあと、十津川と亀井は、しばらく二枚のポラロイド写真を並べて見ていた。

「どちらの羅漢さんも、いい表情をしていますねえ」

亀井が感心した顔でいう。

「これを見ていると、あの相沢という医者が悪い人間には見えないんだがねえ」

「そうですね。ただ偏屈なだけかも知れません」

「この幼児の石仏を見ていると、自然に一つのストーリィが浮んでくるんだが、どうもそれがお定まりのストーリィでね」

「わかりますよ。私もそれを考えました」

亀井がニヤッと笑った。

「カメさんも考えたか」

「ええ。私も、照れ臭いようなお定まりのストーリィです。女がある男を愛して子供を生んだ。ところが男の愛が消え、子供も死んでしまった。女はそれを悲しみ、この幼児の羅漢を彫って貰《もら》って、愛宕念仏寺に奉納した。警部のストーリイもこんなものじゃありませんか？」

「実はそうなんだ」

「世間というのは、たいていお定まりのストーリィ通りに動くものですよ。だから、このストーリィは、当っているんじゃありませんか」

と、亀井はいった。

「そうだな。当っているかどうか、明日、相沢に会って聞いてみよう」

十津川は、ポラロイド写真を見ながらいった。

寝る前に十津川は、東京の捜査本部に連絡を取った。

電話に出た西本刑事は、皇居外苑で殺された男の身元は、いぜんとしてわからないといった。

「男の身元は、京都でもつかめないよ。高木亜木子弁護士はもう城崎から帰って来ているか？」

十津川がきいた。

「いえ。まだ帰って来ていません。今日も城崎に泊っているんじゃありませんかね」

「逃げているのかな？」

十津川がいった。

「われわれからですか？」

「そうだ。われわれが京都で殺された女との関係を、しつこくきくものだから、仕事ということで、城崎へ逃げたのかも知れないということだよ」

「かも知れませんが、逃げ場所としてはあまりいい場所じゃありませんね。城崎は京都から近いですよ。東京から見れば、同じ方角に見えます」

と、西本がいった。

（なるほど、京都と同じ方角か）

十津川も亀井もベッドに入ったが、なかなか寝つかれなかった。

6

その日の深夜二時。

もちろんまだ暗い。京都の西を流れる桂川も、夜の闇《やみ》の中に沈んでいる。

桂川沿いに、渡月橋《とげつきょう》に向う道路には、時たま車のライトが見えるが、それもこの時間になると、めったに見えない。

今年の梅雨は、雨が少いので桂川の流量も少い。

河原は広くなり、雑草の茂みも広くなっていた。

その草むらの一ヶ所が突然、音を立て燃えあがった。

丁度、通りかかったタクシーの運転手がびっくりして、土手の上の道路に車をとめて、眼を向けた。

真っ赤な炎が噴き上がっている。黒煙が炎の上に渦巻いている。

その炎の中に何か黒いものが見える。

運転手は驚いて、眼をこらした。

(人間じゃないのか?)

そう思ったとき、運転手は無線を使って、営業所に連絡を取っていた。

「警察と消防に知らせてくれ。桂川の河原で焼身自殺してるんだ!」

「ショウシン――?」

「焼身自殺だよ。自分の身体《からだ》に火をつけてるんだ。今、燃え始めたんだ!」

「場所は?」

「渡月橋へ行く途中だ。松尾橋と渡月橋の中間ぐらいのところだ」

「了解」

「早く知らせてくれ」

運転手は無線を切ると、車の外に飛び出した。

炎は、まだ燃えあがっている。周囲の草まで燃えている。
十二、三分して、やっとパトカーのサイレンが聞こえ、続いて消防車のサイレンが聞こえた。
狭い土手の上の道路に、消防車とパトカーがとまり、消防車から消火剤が河原に向かって放射された。

炎はたちまち消されてしまった。

パトカーから、懐中電灯を持った刑事たちが出て来て、土手に降りて行った。

白い消火剤の泡の中から、焦《こ》げた人間の上半身がのぞいている。

異臭が鼻をつく。

刑事たちが顔をしかめる。その中に、石野警部の顔もあった。

「ガソリンをかけて、火をつけていますね」

と、吉田刑事が石野にいった。

「ああ、ガソリンの匂《にお》いがするな」

「覚悟の自殺ですかね？」

「どうだかな」

石野は、懐中電灯の明りの中の焼けた死体を見つめた。

他の刑事が発見者の運転手を連れてきた。その運転手は興奮して声をふるわせながら、河原で突然炎が噴き上がった時の模様を話した。

「その時、誰か逃げて行くのを見ませんでしたか？」

と、石野はきいた。

「見ませんでした。といっても、突然で炎にばかり眼を向けていましたから」

運転手は、申しわけなさそうにいった。

消防が放水して、消火剤の泡を取り除いてくれた。

座った恰好《かっこう》の男の死体だった。

だが、黒焦げになっていて、顔はわからないし、衣服も焼けてしまっている。

「とにかく、司法解剖に廻そう」

と、石野はいった。

死体は毛布にくるまれ、司法解剖のために京大病院に運ばれて行った。

石野はパトカーに戻ると、ふと思いついて、相沢病院に電話をかけてみた。

女の声が出た。

「相沢先生、いらっしゃいますか？」

石野がきくと、相手は、

「寝ていると思いますけど――」

「あなたは？」

「家内でございますが――」

「私は、府警の石野といいます。ご主人が寝ていらっしゃるかどうか、確かめてくれませんか」

と、石野はいった。

「警察？　主人に何かあったんでしょうか？」

急に女の声が、甲高くなった。

「とにかく、寝ていらっしゃるかどうか、確認して下さい。お願いします」

石野は辛抱強く繰り返した。

「ちょっとお待ち下さい」

と、女がいい、二、三分間《ま》があってから、

「主人は寝室におりません」

彼女の声がふるえた。

「出かけたかどうかわかりますか？」

「いいえ。私は、主人は寝室に入って寝ているものとばかり思っていたものですから」

と、彼女はいう。

「探して見つかったら、すぐ私に電話して下さい。いや、見つからなくても電話して下さい」

と、石野はいった。

焼死した男の顔はわからなかったが、何となく体形が、数時間前、お茶屋で会って話をした相沢に似ていたのだ。

石野は次に鑑識に連絡を取り、京大病院に運んだ焼死体から、指紋が採取できるかどうかやってみてくれと、頼んだ。

一時間ほどして、相沢の妻の京子から電話が入った。どこを探しても夫が見つからないというのである。

彼女に京大病院へ向かってもらうようにいい、石野自身も向かった。

少しずつ夜が明けてくる。

司法解剖はすでに始まっていた。石野は病院で鑑識に会うと、

「指紋は採れたか？」

と、きいた。

「辛うじて、右手親指の指紋だけは採れたよ」

と、顔見知りの今井技官がいう。

「四条堀川に相沢病院というのがある。そこの院長の指紋と照合してみてくれないか。奥さんが今、ここに来ているから、彼女の許可を取って」

石野はそういった。

司法解剖が終らない内に、相沢病院に行った鑑識からの連絡が先に石野に届いた。

「相沢医師の指紋を採って照合したんだが、一致した。右手親指の指紋は全く同じだよ」

と、今井技官が電話でいった。

「間違いないんだな？」

「ああ。間違いない。同一人だ」

と、今井がいう。

（やっぱりか）

石野は小さく呟《つぶや》いた。

第四章 湯の花温泉

1

石野警部の報告を受けて、十津川と亀井は旅館を飛び出し、彼に会いに行った。

石野とは、桂川の河原の現場で会った。

河原の一角にはロープが張られ、その中央の草むらが黒く焦《こ》げている。

「あそこで、相沢圭一郎が火柱に包まれているのを、タクシーの運転手が発見しました。消防と警察が駈《か》けつけた時は、もう手のほどこしようがありませんでした」

石野が十津川に説明した。

「焼身自殺ですか？」

十津川は、河原に眼をやったまま、きいた。

「わかりません。他殺かも知れない。それを調べるために、遺体を司法解剖に廻しました」

「家族から何か聞けましたか？」

「相沢圭一郎の奥さんの京子さんから話を聞きましたが、彼女は夫が夜、外出したのを知らなかったといっていました。寝室で寝ているとばかり思っていた、というのです」

「相沢さんは昨日、われわれと祇園《ぎおん》で飲みましたね。そのあと帰宅してからどうだったんですかね？」

「そのことも奥さんに聞きましたよ。相沢は午後十時過ぎに、ひどく不機嫌な顔で帰宅したそうです。ウィスキーの水割りを五、六杯飲んで、寝る、といって寝室に入ったといっています。夫婦の寝室は別なので、奥さんはそのまま寝たといっています」

「しかし、相沢さんは寝ていなかったんですね？」

「誰かに呼び出されたか、自分から出て行ったかはわかりませんが、とにかく相沢圭一郎は奥さんに黙って外出したわけです」

「電話がかかってきたんですかね？」

「かけたのかも知れません。奥さんの話では、寝室にも電話があるそうですから」

「相沢さんは車で出かけたんですかね？」

「自宅からこの現場まで歩けないということはありませんが、常識的に考えて、車で来たと考えるのが自然だと思います。しかし、相沢圭一郎の車は車庫に入っていたといいますから、タクシーに乗ったか誰かが車で現場まで運んだと考えています。今、タクシー会社に当たっています」

と、石野はいった。

「自殺か、殺人か、どちらと思われるんですか？」

亀井がきくと、石野は、

「司法解剖の結果を見ないと判断できませんね」

といってから、腕時計に眼をやった。

「それを待つ間、昼食を食べに行きませんか」

「腹は減っていませんが」

亀井がぶっきらぼうにいった。言外に、そんな呑気《のんき》にしていていいのかという軽い抗議のひびきがあった。

石野もそれは感じたらしい。微笑して、

「あせっても仕方がありません。京都的にゆっくりやろうじゃありませんか」

「ゆっくり――ですか？」

「そうです。京都では、怒ったり焦《あせ》ったりした方が負けなんですよ。相手が喜ぶだけです」

「相手？」

十津川が呟《つぶや》いた。

「十津川さんも亀井さんも、あの火祭りの宗教グループが怪しいと思っていらっしゃるんでしょう？」

石野は見すかすように、いった。

「怪しいとは思っています。犯人ではなくても、あの女性の死と何らかの関係があるとは考えています」

十津川は正直にいった。

「相手はグループです。それに宗教団体に関係しているとなると、なおさら、こちらが焦ったら負けです。特に京都ではね。たいてい先に怒った方が負けになります。ゆっくりやりましょう」

石野は微笑していう。

「そういえば京都では、怒っている人をあまり見かけませんね」

「そうでしょう。商店やデパートで店員の応対が遅いとか、接客態度がなっていないなどといって怒っているのは、たいてい観光客です」

「京都人は怒らないんですか？」

「もちろん腹の立つことはありますよ。でも、そこで相手を怒鳴りつけたり、殴ったりしてどうなります？　一時的には溜飲《りゅういん》が下がるかも知れないが、相手には憎まれるし、次にその店やデパートに行きづらくなるでしょう。結局、自分の生きる世界を狭くしてしまう。負けです。京都人はそんなバカなことはしません」

「じゃあ腹が立っても、じっと我慢するだけですか？　私にはとても出来ませんよ」

亀井がいうと、石野はまた笑った。

「我慢はしませんよ」

「しかし怒らないんでしょう？」

「直接はね。その代わりに、一緒に行った友だちか、店に来ていた人に話しかけるんですよ。それも店員の応対が悪いとはいいません」

「どういうんです？」

「そうですねえ。例えば、ここの店員さん、ゆっくりゆっくり仕事をしやはるけど、どこぞ身体《からだ》が悪いのと違いまっしゃろかとか、この店へ来ると待つ時間が長いのでゆっくり出来てよろしいわ、とかね」

「それを大きい声でいうんですか？」

「ええ。店員に聞こえるようにね」

「嫌味ですね？」

「いや、店員の健康を心配しているんだし、店員に感謝しているんです」

と、石野は笑う。

十津川も笑った。

「なるほど。そうですね。一つの文化なんだ」

「ええ。文化です。生活の智恵《ちえ》です。当人も傷つかないし、店員の方も反省する」

「なるほど」

「ところで、昼食に湯どうふはいかがですか？」

石野がきく。

「いいですね。先日も、京都で湯どうふを食べました。確か西山艸堂《せいざんそうどう》という店でした」

「ああ。知っています。しかし今日は、私の行きつけの店にご案内しますよ」

「湯どうふにも、行きつけの店というのがあるんですか？」

亀井が首をかしげた。

「京都は住みにくいという人がいます」

「他所者《よそもの》には冷たいからでしょう？　私の友人にもいますよ。京都は観光で行くには大好きだが、住みたくないって」

「ええ。よく聞きますよ。だが、住み易《やす》くすればいいんです」

「どうやってですか？」

「京都は古くて、狭い町です。それに合わせればいいんです。まず、決めるんです。肉は三嶋亭、とうふは森嘉《もりか》、いつも飲みに行く店はどこどことです。浮気はしない」

「それでお茶屋も、小和田さんと決めているんですね」

「そうです。お得意になってしまうんですよ。狭い町だから、浮気をすればすぐわかってしまう。だから、同じ店を使う。一見《いちげん》の客に京都はそっけないですが、お得意は大事にしますよ。ちょっとした無理も聞いてくれます。その店が客で一杯でもお得意なら、無理して部屋を一つ確保してくれます。そうなれば京都は住み易いんです」

2

昼食は石野警部が行きつけの店でということになった。

渡月橋《とげつきょう》の袂《たもと》には、今日も人力車が並んでいた。観光客があふれ、彼等をのせて人力車が出発して行く。

川に沿って有名な吉兆や、嵐亭《らんてい》が並んでいる。その吉兆の裏手にある「嵯峨野《さがの》」が石野の案内した店だった。

石畳みの路地に面して入口があり、そこになぜか大きな梵鐘《ぼんしょう》が置かれている。その傍《かたわら》できちんと背広を着た店の人が客を迎えていた。

石野を見ると、ニッコリして、

「ようこそ。お待ちしておりました」

と、いう。

「静かに話がしたいんだけど」

「奥の座敷を用意しておきました」

と、相手はすかさずいう。これがお得意を大事にするということなのか。

入ってすぐのところは、カウンターもある広い部屋で、観光客が沢山《たくさん》入っていた。

石野はさっさと通り抜けて、中庭に出た。きれいに手入れされた庭で、外国人が記念写真を撮っている。

中庭の反対側に、小さな座敷がいくつか設けられていて、十津川たち三人はその一つに上がった。白いカスリの着物姿の女性店員が注文を聞きにくる。

「ビールでもどうです？」

石野がいう。

「いや、今は勤務中ですから」

と、十津川が断ると、

「これは持久戦ですよ。それに司法解剖の結果がでるまで、どうしようもないんです。今から緊張していたら勝てませんよ」

といい、地ビールの小びんを三本注文した。

十津川は苦笑する。確かに相手があの宗教グループなら、持久戦になるだろう。ゆったりした気分でいないと、勝てないかも知れない。

十津川も妥協して、地ビールで乾杯し、湯どうふの昼食をとることにした。座敷から反対側に格子戸《こうしど》が見える。そこにも入口があるのだろう。格子越しに人力車が通りを抜けて行くのが見える。

「京都ですねえ」

亀井が感心したようにいう。十津川もいい光景だと思ったが、事件のことも頭から離れなかった。

「相沢さんが他殺だとしたら、口封じのために殺されたんだと私は思いますが」

と、十津川は石野にいった。今度は石野も焦《あせ》らないで下さいとはいわなかった。

「同感です」

「とすると、相沢さんが犯人を知っていたということも考えられます」

「そうなりますね」

石野が肯《うなず》いた時、彼の携帯電話が鳴った。

石野は受信ボタンを押して耳に当てた。二言、三言話してから、十津川に向かって、

「署へ行きましょう。司法解剖の結果が出たそうです」

「それで、他殺と決まったんですか？」

「事件になった、といっています」

と、石野はいった。

三人はとめておいたパトカーで、捜査本部に帰った。

待っていた刑事の一人が、石野にＦＡＸされてきた文書を渡す。相沢圭一郎の司法解剖をした大学病院からの報告だった。

石野は眼を通してから、それを十津川と亀井に渡した。

死因は窒息、それだけみれば炎と煙に包まれたために、窒息したのだろうということになるのだが、解剖の結果は次の記述になっていた。

胃の中から多量のアルコールが検出された。また、血液中から筋肉弛《し》緩剤《かんざい》が見つかったというのである。

死亡推定時刻は、今日の午前二時から三時の間。これは、目撃したタクシー運転手が、午前二時頃突然炎が吹きあがった、というのと一致している。

また現場を調べた鑑識の報告も、十津川たちは見せて貰《もら》った。

それによると、焼け跡からガソリンの燃えた残りが見つかったが、それと同時にリード線の焦《こ》げたものと乾電池、これも焦げたものが見つかったとも記載されていた。

「これで決まりですね」

と、十津川は眼をあげて、石野にいった。

「そうです。殺人です。多分、酒を飲ませて酔っ払わせて、焼身自殺と見せかけて殺そうとしたんでしょうが、相沢圭一郎は酒に強くて、なかなか酔っ払わない。それで仕方なく筋肉弛緩剤を注射して、身動きのとれないようにしたんでしょう」

「犯人は、殺人とわかっても仕方がない、と思っていたのかも知れませんね」

と十津川は考えながらいい、続けた。

「司法解剖すれば、筋肉弛緩剤を使ったことだってわかってしまうだろうし、電池を使った時限装置がわかることも覚悟していたと思いますね。ただ自分のアリバイが作れればいいと考えているんだと思いますよ」

「それに、何としてでも相沢圭一郎の口を封じたかった——」

「そうですね」

「問題は、相沢医師とあの宗教グループとの関係ですね」

「奥さんに会いに行きませんか」

と、石野がいった。

亀井を含めて三人はパトカーで、相沢邸を訪ねた。

まだ司法解剖された遺体が返されていないので、葬式の準備はされていない。ただ、玄関がかたく閉ざされているだけだった。

三人は、脇《わき》の通用門から中に入り、相沢京子に会った。

石野は改めて悔みをのべてから、

「ご主人は殺されたことがはっきりしました。筋肉弛緩剤で身体の自由を奪っておき、ガソリンをかけて焼き殺したんです」

「――」

京子は黙っている。そうした報告を覚悟していた表情に見えた。

「われわれには、犯人を見つける使命があります。それで、ぜひ奥さんの協力をお願いしたいのです」

「でも、私は何をしたら？」

「昨夜のご主人の様子を話して下さい」

「それはもうお話ししましたけど」

「ええ。でもあの時はまだ自殺、他殺ともわかっていませんでしたから。殺されたということで何か思い当たることはありませんか？」

「と、いわれましても――」

「十時過ぎにお帰りになったんですね？」

と、十津川がきいた。

「はい。十時五、六分頃だったと思います」

「実はあの夜、私たちとお茶屋で飲んでいまして、意見が食い違って怒ってお帰りになったんです」

「――」

「帰って来て、また飲まれたんですね？」

「はい」

「その時、何かおっしゃいませんでしたか？　飲みながら」

「そういえば、ぶつぶつと口の中で――」

「何といっていたんでしょう？」

「確か、なぜ、おれが、おれがって――」

「それだけですか？」

「はい」

「十条寺派という新しい真言密教のことを、ご存じですか？」

と、石野がきいた。

「はい。火祭りを主人と一緒に見に行ったことがございます」

「それは招待されてですか？」

「主人がご招待を受けて、私も一緒に参りました」

「ご主人は教祖と親しかったんですか？」

「いえ。主人が親しかったのは、松岡さんという方ですわ」

「広報課長の？」

「ええ。名刺を頂いていますわ」

京子は奥から一枚の名刺を持って来て、三人に見せた。

見覚えのある名刺だった。火祭りの日に十津川たちが貰った、松岡功の名刺だった。

「ご主人はこの松岡さんと、どんな風に親しかったんでしょうか？」

十津川が、きいた。

「松岡さんと主人とはもう、八年くらいのつき合いですわ」

「八年前から？」

「はい。松岡さんは京都のN大を卒業したあと、京都で古美術商を始めたんです」

「知っています」

「主人も古美術には興味を持っていましたので、時々、松岡さんの店へ行っておりました」

「では、古美術商と客という関係だったわけですか？」

「最初はそうでした。でも、松岡さんが病気になって——」

「病気になったんですか？」

「丁度、主人が松岡さんの店へ行っているとき、松岡さんが突然、苦しみ出したんです。

松岡さんは盲腸の手術が嫌で、ずっと薬で散らしていたんです。それが爆発してしまって。すぐ主人はうちの病院へ運んで手術を致しました。それで手おくれにならずにすみました」

「じゃあ、ご主人は命の恩人だったわけですね？」

「主人は医者として当たり前のことをしただけだといっていましたけど」

「それが、何年前ですか？」

「松岡さんと知り合ってから、一年ぐらいしてからですから、七年前だったと思いますわ」

「その後、ご主人との関係はどうだったんですか？」

「ずっと、親しくしていましたわ」

「松岡さんが十条寺派に入ってからも、変わりませんでしたか？」

と、十津川はきいた。

「ええ。変わりませんでしたわ」

「ご主人は十条寺派のことをどう思っていたんですかね？　信者だったんでしょうか？」

「いいえ、主人は西本願寺の信徒でした。私もです」

「だが、松岡さんとはずっと親しくしていた？」

「はい」

「ご主人は、石仏を彫っていらっしゃいましたね？」

「主人の趣味でした。もともと、仏像が好きでした。そのうちに自分で石仏を彫るようになったんです」

「この写真を見てくれませんか」

十津川は、二枚の写真を京子に見せた。

一枚は愛宕《おたぎ》念仏寺で見た幼児の石仏（羅漢）であり、もう一枚は貴船《きぶね》の寺で見たあの女の石仏だった。

「二つともご主人が彫ったものだと思うんですが」

と、十津川は写真を見ている京子にいった。

「はい。主人が彫ったものですわ」

「女性の石仏の方ですが、この女性の名前を知りませんか？」

と、十津川はきいた。

「いいえ。これが松岡さんに頼まれて、主人が彫ったものだということは知っていますが」

「この女性の石仏について、ご主人は何かいっていませんでしたか？」

と、十津川がきき、石野が、

「実はこの女性は、嵯峨野の竹林で殺されていたんです」

と、付け加えた。

「主人はこの京都で死んだ身元のわからない人なんだとは、いっておりましたけど」

と、京子はいう。

「それではこの幼児の石仏の方はどうですか？　ご主人は誰に頼まれて彫ったんでしょう？」

十津川がきいた。

「これは去年の今頃、彫っていたものですわ」

と、京子はいう。

「何処《どこ》で彫っていたんでしょう？」

「この家でです。毎日病院の仕事が終わってから彫っていました。彫り終わってから愛宕念仏寺に寄進したんです」

「誰に頼まれて彫ったのか、わかりませんか？」

石野がきいた。

「主人に聞いたことがありました。ひょっとして、うちの病院で病死した子供のために石仏を彫っているんじゃないか、と思ったんです」

「それでご主人は何といいました？」

十津川がきいた。

「最初は何も教えてくれませんでした。それでも私が気になってしつこく聞いたせいでしょうか。これは可哀《かわい》そうな母親に頼まれて彫っているんだといいましたわ」

「ご主人はどうやって彫っていたんですか？　何も見ずに彫ったとは思えないんですが」

と、十津川はきいた。

「写真を持っていましたわ」

「子供の写真ですか？」

「いいえ。若いお母さんと子供の二人が写っている写真です」

「その写真をご覧になりましたか？」

「ちらっとだけですけど――」

「その若い母親の顔ですが、こちらの女性の石仏と似ていませんか？」

と、十津川は写真を示してきいた。

京子は首をかしげて、

「似ているような気もしますけど、自信はありませんわ。あのお母さんと子供の写真は、ちらっとしか見ていませんから。申しわけありません」

「奥さんが謝ることはありませんよ。ご主人は多分、去年この女性に頼まれて幼児の石仏を彫ったんだと思います。そして、愛宕念仏寺に寄進されたんです」

「――」

「きっとこの女性は、ご主人に感謝したと思います。或《あ》いは、そのお礼の手紙を出しているかも知れない。そういう手紙を見たことがありませんか？」

「私たち夫婦は、お互いの受け取った手紙は見ないことにしていましたから。それが、主人の考え方でもあったんです」

「じゃあ、ご主人のところに来た手紙は、どうなっているんですか？」

「主人の机の中に入っていると思いますけど」

「それをぜひ、見せて頂けませんか？」

と、十津川はいった。

3

相沢の書斎に案内された。

古美術に関心があったというだけに、壁の棚には古い仏像や古九谷《こくたに》の皿などが並べてあった。その中のいくつかは、松岡の店で購入したものなのだろう。

大きな机の一番下の引出しには最近の手紙類が入っていた。

十津川たち三人は、それを一通ずつ調べていった。

同じ京都市内の有力者からの手紙が多い。その多くは形式的なあいさつ状だった。そうしたものの必要な社会なのだろうか。

病気が治って退院した患者や、その家族からの礼状もあった。

その中から十津川たちは、一通の部厚い封書を見つけ出した。

差出人のところには、「東京・ゆみ」とだけあった。

（あの女の手紙だ）

と、十津川は直感し、急いで中身を取り出した。

その筆跡にも十津川は覚えがあった。

「直指《じきし》庵《あん》のノートの筆跡と同じですよ」

と、十津川は石野にいった。

〈相沢圭一郎様
　突然のお手紙、お許し下さい。その上、わがままなお願いをしなければなりません。

同封しました写真は、私と息子が五歳のお祝いに撮《うつ》したものです。この写真を撮った直後に息子は亡《な》くなりました。父親の顔を知らない不幸な子供でございました。

私は京都が好きです。京都で恋をしました。そしてその恋を京都で失いました。

京都で恋をしていた頃、清水寺《きよみずでら》の舞台から京都の町を眺めるのが好きでした。鴨川のほとりを彼と歩くのが好きでした。舞妓《まいこ》の恰好《かっこう》をして歩くのが楽しかった。

恋を失ってからは、私は京都の暗い場所を求めて歩きました。その時に知ったのです。京都は明るい恋の町であると同時に、怨念《おんねん》の町でもあることをです。化野《あだしの》念仏寺に行ったとき、私は息子を失った直後でした。境内《けいだい》に並ぶ石仏を見たとき、私は死んだ人たちの叫び声を聞いたような気がしました。でも、まだ五歳で亡くなった息子の魂をこの場所に葬るのは、あまりにも可哀《かわい》そうな気がしました。

彼の幼い笑顔が、化野念仏寺のおどろおどろしい、あの世の中に並ぶのは私には我慢ができませんでした。

そのあと私は更に北にあがりました。息子の霊が安らかに眠れる場所を見つけ出したかったのです。そして、愛宕念仏寺に辿《たど》りついたのです。その境内で見た石仏たちに私はほっと致しました。化野念仏寺の石仏と同じように死者をとむらうものなのに、こちらの石仏は表情豊かでした。泣き、笑い、時には怒っている、そのさまざまな表情こそ私が探し求めていたものだったからです。

その何体かを、相沢圭一郎様が彫ったものだと知り、ぜひ息子のものを相沢様に彫って頂きたくてこのお手紙を差し上げる次第です。

私の気持を知って頂きたくて、これから私自身のことを書きます。ご面倒だとは思いますが、読んで下さいとお願い致します。

私は東京に生まれ、東京に育ちました。そんな私にとって、京都は最初は観光で行く町でしかありませんでした。ひとり旅の好きだった私は、大学時代、ＯＬ時代と何回か京都に遊びました。その間もずっと観光客の一人でしかありませんでした。

七年前の冬でした。

私は冬の京都が好きで、この時も二月の寒い日に京都を訪ねました。

その時、たまたま立ち寄った古美術店で私は恋に落ちました。私は私を彼と会わせてくれた京都の町に感謝しました。その後、京都に住む彼と東京の私とは、いわば遠距離恋愛を続けました。

私は東京の会社を辞め、彼のいる京都に住みたいと願いました。しかし、彼はそれを喜びませんでした。彼はその時、古美術商をやめ、新しい仕事に入っていたので、そのためしばらくはひとりでその仕事に専念したいのだといいました。

私は彼を愛していましたから、彼がそれを願うのなら、彼の夢をかなえてあげたいと思いました。私はその時、彼の子供を身籠《みご》もっていたので、何としてでも一緒に生活したかったのですが、我慢致しました。

東京でひとりで子供を産みました。その時、彼が何日間かでも東京に来てくれたらと願いましたが、彼は新しい仕事が忙しいといい、一度も来てはくれませんでした。

私には両親も、きょうだいもおりません。たったひとり、東京で子供を産むことの心細さをわかって頂けるでしょうか。

ともかく私は子供を産みました。婚姻届を出しておりませんので、父のいない子供です。名前は彼の名前を取って、功一郎とつけました。

私は子供が出来れば、彼の気持がまた私に向いてくれるものと思っていました。いえ、前よりももっと深く私を愛してくれるものと思っていました。それが子供へのものであってもかまわないと思っていました。

私は愚かでした。彼の気持は、子供が出来たことで一層私から離れてしまったのです。

彼は新しい仕事がうまくいくと同時に、野心家になっていきました。その分野での頂点を目指し始めたのです。そのためには恋人も、子供も、足手まといでしかないと思っていたんだと思います。

それでも私は、ずっと彼が好きでした。今の仕事で成功すれば、いつかまた私のところに戻ってくると信じていました。いえ、信じたいと思っていました。

子供が大きくなってくると、彼に顔が似てきます。そのことが嬉《うれ》しくもあり、悲しくもありました。毎年私は、成長していく子供の写真を、京都の彼に送りました。何といっても彼の子供なんです。それに知らず知らずに、自分の未練な気持も彼に伝えたかったのかも知れません。

私は、幼い子供を抱えての生活が苦しくて、彼に助けて貰《もら》いたいとも思うようになりました。私が苦しいのは我慢できますが、子供には楽をさせてやりたかった。それでたまたま知り合った女性の弁護士さんにお願いしました。京都へ行って彼に頼んで欲しいといったのです。彼から養育費を送って貰えるようにして欲しいとです。その女性弁護士は、女性の権利のために戦うので有名だったので、信用していたのです。ところが京都へ行った彼女は、見事に私を裏切りました。彼の方についてしまったのです。

それでも私はまだ耐えられました。何といっても彼によく似た息子がいましたから。その息子が五歳で病気になりました。それも治療にお金のかかる難病でした。私はもう一度、女性弁護士に頭を下げて頼みました。どうしてもお金がいる。京都へ行って彼に頼んで欲しいといいました。私はどうなってもいい。彼がもう私に会いたくないというのなら、二度と京都へは行かない。だから今度だけ子供を助けてくれるように、伝えて欲しいと頼みました。

本当にそのつもりだったんです。それまで私は、子供も大事、彼も欲しい、と思っていました。裏切られても彼がいつか、自分と一緒に暮らしてくれると信じていました。でも、子供が難病にかかったとき、その考えが変わりました。彼が私を捨てるなら、それでもいい。ただ、わが子は何としてでも助けたいと思ったのです。女性弁護士だけに頼ってはいられず、私も京都へ行き、彼に会おうとしました。

でも全《すべ》て無駄でした。彼は私に会おうとせず、女性弁護士は何もしてくれませんでした。

子供は死にました。

結局、私は子供に何もしてやれなかったのです。もっとお金があったら、助けられたかも知れないのに、それが出来ませんでした。

私は母親としては、完全に失格です。

それでせめて相沢様にあの子の石仏を彫って頂きたいのです。そうすることがダメな母親のせめてもの償いのような気がします。

ご承諾頂けるかどうかわかりませんが、別便で五十万円を現金封筒で送りました。

何とぞよろしくお願い致します。もし、あの子の石仏を彫って頂けたらそれを愛宕念仏寺に寄進して下さい〉

4

三人の刑事は、長い手紙を読み終わった。

相沢圭一郎は、この手紙を読み、同封されていた写真をもとに、あの幼児の石仏を彫り、愛宕念仏寺に寄進したに違いない。

十津川は、あの日、その石仏をじっと見つめていた女の姿を思い出した。

相沢の奥さんの話では、あの石仏を彫っていたのは去年の今頃だという。

とすると、女はその後、京都へ旅しては愛宕念仏寺に行き、わが子の石仏に会ったのだろう。

その後の一年間に、彼女が彼と会ったのかどうかわからない。

一年後、彼女は京都へ彼を殺すと決めてやって来た。

直指庵のノートに、「彼を殺す」と書いたのも、愛宕念仏寺でわが子の石仏と無言の対話をしたのも、自分の決心を確かめようとしたのだろう。

だが、彼女は殺されてしまった。

「その彼は、あの十条寺派の広報課長の松岡功に違いありませんよ」

と、十津川はいった。

「そうですね。この手紙の文面から考えて、松岡でしょう。彼女は彼の名前から一字とって、功一郎と子供の名前をつけたと書いています。松岡の名前は、功ですからぴったり一致します」

石野も肯《うなず》いた。

「手紙に出てくる女性弁護士は、高木亜木子だと思いますね。彼女を裏切った弁護士の名前をわざわざ、京都の旅館で使ったのは、なぜかな？　嫌がらせだったんだろうか？」

「多分、そうでしょう」

と、石野がいう。

「松岡功を殺人容疑で逮捕できませんか？」

亀井が単刀直入にいう。彼は、女の手紙を読んで「彼」に対して、腹を立てているのだ。

十津川ももちろん、腹を立てていた。しかし、逮捕するだけの証拠はない。

「まず、無理だな」

と、十津川はいった。

「彼女が殺された時刻のアリバイを調べたらどうですか？」

「駄目ですよ」

石野が、首を振る。

「なぜですか？」

「相手は宗教グループの一員、それも重要な地位にいます。彼のアリバイの証人は、何人、何十人だって用意できると思いますからね。相手が宗教グループの場合、難しいのは彼等の団結がかたいことです」

「しかし、犯人は松岡ですよ」

「そうだと思います」

「それでも、ぜんぜん手を出せないんですか？」

「焦《あせ》ったら負けです。ゆっくり、やりましょう」

と、石野がいう。

「京都的なやり方ですか？」

「そうです」

「しかし、私は何とか早く手を打ちたいと思いますね」

亀井は、腹立たしげにいった。

石野は携帯電話を取り出すと、部下の吉田刑事を呼び出した。

「石野だ。十条寺派の宗教グループの広報課長で松岡功という男がいる。その男を監視してくれ」

「何かやったんですか？」

と、吉田がきく。

「今のところ、何かをやったという証拠はない。だから、慎重にかつ、丁重に監視するんだ。絶対に相手を怒らせてはいけない。わかったな」

石野はそういって、電話を切った。

そのあと、三人の刑事は相沢京子に礼をいい、パトカーに戻った。

捜査本部に帰り、石野と別れた十津川と亀井は旅館に戻った。

風呂《ふろ》に入り、夕食をとる。

「しばらく東京に帰れませんね」

と、亀井が食事をしながら十津川にいった。

「そうだな。事件の根は京都にあるようだからね」

「どうも石野警部のやり方を見ていると、歯がゆくて仕方がありません」

亀井が文句をいった。十津川は苦笑する。

「ここは京都だ。郷に入れば郷に従えという。私たちの自由にはならないよ」

「あのやり方だと、犯人を逃してしまうかも知れませんよ」

「いらいらせずに、しばらく向こうのお手並拝見といこうじゃないか」

と、十津川はいった。

翌朝、旅館で朝食をとっているときに、石野警部から電話が入った。

「今、松岡功の車を尾行しています」

と、石野がいう。

「尾行中ですか？」

「そうです」

「彼は何処《どこ》へ行く気なんですか？」

「わかりませんが、これから京都縦貫道に入ります。松岡の行先がわかったら、また知らせます」

石野は電話を切った。

十津川は亀井と二人、京都の地図を広げてみた。

京都市から保津川《ほづがわ》に沿って、亀岡《かめおか》、園部《そのべ》、と北西へ向かい、やがて城崎《きのさき》方面への道とも交わる国道9号線がある。その9号線に平行して走るのが、京都縦貫自動車道だった。

松岡はこの京都縦貫自動車道で、何処へ行く気なのだろうか？

二時間ほどして、再び石野から電話が入った。

「湯の花温泉へ来て下さい」

「湯の花？」

「京都の奥座敷と呼ばれている温泉です」

「そこに、松岡功がいるんですか？」

「そうです。今夜はここに泊まるつもりらしいです」

と、石野はいった。

十津川と亀井はタクシーで湯の花温泉に向かった。

途中まで、国道9号線を走り、沓掛《くつかけ》から有料の京都縦貫自動車道に入る。山間《やまあい》の道路である。

狸《たぬき》でも出て来そうな周囲の景色だった。

（京都というのは、ちょっと走ると田園風景になるんだ）

と、十津川は思った。

トンネルを抜ける。新老《おい》ノ坂トンネルという表示がある。

またトンネルに入る。今度は天岡山トンネルという表示。

亀岡で京都縦貫自動車道を出た。

「ここから、保津川下りの舟が出ています」

と、タクシーの運転手が説明してくれる。観光都市京都のタクシーらしい。

亀岡市は京都市のベッドタウンになっているともいう。

亀岡から車なら、京都市まで一時間足らずだから、ベッドタウンというのも肯けた。

しばらく町中を走ったあと、前方に「湯の花温泉」の大きな看板が現れた。旅館の名前がずらりと並んで書いてある。

その先に温泉街があると思ったのだが、いっこうに温泉街は眼に見えて来ない。

道路はまた深い山間に入って行く。やがて最初のホテル「渓山閣」が現れた。そのあと、またしばらく走って次の「有楽荘」が見えた。

この湯の花温泉は、一ヶ所に旅館、ホテルが集まっているのではなく、道路沿いにポツン、ポツンと点在しているのだ。温泉街に特有のみやげ物店や、スナック、バーなどは見当らない。

三軒目の「松の井」の傍に、京都府警の覆面パトカーがとまっていた。

十津川と亀井はタクシーを降り、パトカーに近寄って行った。

石野警部がおりて来た。

「この旅館に松岡が泊まっているんですか？」

と、十津川はきいた。

「いや、この先の『翠泉《すいせん》』という旅館です」

「ひとりですか？」

「いや、女性も一緒です。年齢は三十五、六歳で先に来て泊まっていたようです。ここで落ち合ったんだと思います」

「三十五、六歳の女ですか。多分、高木亜木子という弁護士ですよ」

「旅館の宿泊カードには、加藤秋子と書いています」

「間違いなく高木亜木子です。城崎へ仕事で行っていたのはわかっています。城崎からこの湯の花温泉にやって来たんだと思います」

と、十津川はいった。

「ゆみを死に追いやった男と女ですか」

と、石野は呟《つぶや》いてから、

「さて、これからどうしたもんですかね」

「私は二人に会ってみたいですね」

と、亀井がいった。

「会ってどうするんです？」

石野がきく。余り賛成していない顔だった。

「石野さんなら、どうします？」

と、十津川はきいた。

「そうですね。松岡と高木弁護士が会ったことを確認したから、ひとまず、引き揚げたいと思いますね」

石野は、穏やかな口調でいった。

「焦らず、じっくりとですか」

「そうです。今、二人に会えば、警戒させるだけ損だと思いますよ」

「私は彼等に会いたいですね」

と、十津川はいった。

「会って、お前たちがゆみを殺したんだろうと、きくんですか？」

石野がきく。十津川は笑って、

「まさか。そんな聞き方はしませんよ。否定されたら、それで終わりですからね」

「じゃあ、何を？」

「雑談です。雑談」

と、十津川はいった。

「相手をいたずらに警戒させるようなことは、しないで下さい」

「わかっています」

「じゃあ、ここは十津川さんにお任せします」

と、石野はいった。

「翠泉というのはどういう旅館ですか？」

「この湯の花では格式のある旅館だといわれています」

「いいですね。部屋が空いていたら、私たちは、今日、そこに泊まることにします。あと二、三日は、京都にいるつもりですから」

「では、われわれは、ここは十津川さんに任せて帰ることにします」

と、石野はいった。

「何かあったら、電話しますよ」

十津川はそういって、亀井と二人、「翠泉」の方向に歩いていった。それを見送って、石野のパトカーは引き揚げていった。

「これで、すっきりしましたよ」

歩きながら、亀井が言った。

「すっきりって？」

「どうも私は、京都的なやり方がまどろっこしくて仕方がないんですよ。ここは京都府警の管轄《かんかつ》だからと思って、我慢していたんですが、今まで通り、相手にどんとぶつかりたいです」

「じゃあ、翠泉へ行って、松岡功と高木亜木子にどんとぶつかってみようじゃないか」

十津川は微笑した。

「二人を脅してみますか？」

「それじゃあ、石野警部との約束を破ることになる」

「と、いって、松岡たちを遠くから指をくわえて見ているのは、嫌ですね」

「だから、努めてソフトに二人に会ってみるさ」

と、十津川はいった。

翠泉は和風の落ち着いた旅館だった。二人は玄関に入り、フロントで警察手帳を示した。

十津川が、松岡と高木亜木子の顔立ちを説明した。

「泊まっていますね？」

「はい。そのお二人なら、お泊まりです」

と、フロント係はいい、二人の宿泊カードを見せてくれた。

高木亜木子は、石野のいった通り、加藤秋子の偽名を使っていたが、松岡功も石田貢という偽名になっていた。

「私たちも、今日、泊まりたいんだが、部屋は空いていますか？」

幸い、空部屋があるというので、仲居に案内して貰った。

ひと休みしてから、二人は大浴場で総檜《ひのき》造りの風呂に、のんびりと身体《からだ》を沈めた。

そこを出て、一階の売店でみやげものを見ていると、松岡が高木亜木子と入って来た。

二人は恋人同士のように、手をつないでみやげものを物色しはじめた。

十津川と亀井が近づいて、

「やあ」

と声をかけると、二人ははっとした顔で、あわてて手をはなした。

「覚えておられるでしょう？　火祭りの時お会いして、名刺を貰《もら》っています」

十津川が松岡に向かって、いった。

松岡は、態勢を立て直すと、

「確か、警視庁の刑事さんでしたね」

「そうです。私は十津川、こちらは亀井刑事です」

「私は失礼しますわ」

と、高木亜木子がいう。

「あなたは確か、弁護士の高木亜木子さんですね？」

「――」

「お友だちは、可哀《かわい》そうなことをしました」

十津川は、亜木子の顔をまっすぐ見つめていった。

「お友だちって、どなたのことでしょうか？」

亜木子は眉《まゆ》をひそめた。

「先日、京都の竹の道で殺されていた女性のことですよ。ゆみという若い女性です」

「そういう方は知りませんので」

「おかしいですね。彼女はあなたに、いろいろと頼んだんじゃありませんか？　もともと、人の相談に応じるのが弁護士の仕事でしょう」

「そうですけど、その、ゆみさんという方は存じあげません」

亜木子は切り口上でいった。

「そうですかねえ。ゆみさんは恋人の彼のことや、彼との間に産まれた男の子のことで、弁護士のあなたに相談したといってたんですがねえ」

「誰がそんなでたらめをいっているんですか？」

「相沢さんですよ」

「相沢さん？」

「病院の院長ですよ。焼身自殺に見せかけて殺されましたが、死ぬ前に私たちに話してくれたんですよ」

「信じられませんわ」

「困ったな。その他にも、相沢さんはいろいろと話してくれました。一緒に祇園のお茶屋で遊んだ時にです。相沢さんは酒がお好きで、飲みながら話してくれたんですよ」

「――」

亜木子は黙ってしまい、彼女をかばうように松岡が、

「相沢さんのことは、よく知っていますが、そんなお喋《しゃべ》りの方じゃありませんがねえ」

「だが、私たちにはよく話してくれたんですよ。ゆみという可哀そうな女性のことを、くわしく話してくれましたよ」

と、十津川はいった。

松岡の表情が険しくなった。

「どんなことをですか？」

「彼女は東京のＯＬで、京都が好きでよく来ていたが、七年前の冬、京都である男性と運命的な出会いをして、恋に落ち、子供も産んだ。ところが、男に裏切られてしまった」

「――」

「おまけに、たった一人のわが子は病気になった。難病で、治療に沢山の金が必要だった。それで彼女は、彼に頼んだんですよ。二人の間が冷たくなっていても、彼は子供の父親ですからね。彼女が彼に力を貸してくれと頼むのは、当然じゃありませんか？　高木先生はどう思います？」

十津川は、亜木子に眼をやった。

彼女は黙って、眼をしばたいている。松岡の方も苦虫を嚙《か》みつぶしたような顔で、黙っていた。十津川は言葉を続けて、

「彼女は、女性弁護士にも助けを求めたんですよ。あなたと同じように女性のために戦うことを信条にしている弁護士だったようです。それなら、力になってくれるだろうと思ったんでしょうね。ところが、驚いたことに、その女性弁護士は男の方の味方になってしまった。多分、女性弁護士がコロリといくほど、彼という男は魅力があったんでしょうね。それとも、口が上手《うま》いのか。それとも、二人の利害が一致したのか。弁護士というのは、本来、依頼主のために全力を尽くすものじゃありませんかね。女性弁護士の裏切りによって、彼から何の援助も得られず、子供は死にました。松岡さんは宗教家だけど、こういうことをどう思います？　こういう父親のことを」

「彼にもいろいろ事情があったと思いますがね」

松岡は相変わらず、苦虫を噛みつぶして、いう。

「どんな事情ですかね？」

と、十津川は突っ込んでいった。

「そんなこと、部外者の僕にわかる筈《はず》がないでしょう」

松岡が大声を出した。

「しかし、あなたは愛と信仰を説く宗教家でしょうに。その宗教家としての感想を聞いているんです」

「だから、彼にもいろいろと事情があったんだろうといってるんですよ」

「なるほど、いろいろと事情がですか」

「まだ、何かいいたいんですか？」

「この話には、もう少し続きがあるんですよ。相沢圭一郎さんはご存じですね？」

「もちろん、よく知っていますよ」

「彼女は亡《な》くなったわが子の石仏を相沢さんに彫って貰うことにしたんです。それが、この石仏です」

十津川は例のポラロイド写真を松岡と亜木子に見せた。

松岡はちらっと見ただけで、

「前にも刑事さんに見せられましたが、僕には関係ありませんよ」

「そうですかねえ。私は、この石仏の顔が松岡さんによく似ているような気がするんですがねえ」

「バカなことはいわないで下さい！」

松岡は吐き捨てるようにいい、亜木子を促して、店を去ろうとする。その背中に向かって亀井が、

「あのインチキ宗教の教祖になるつもりなんですか？」

と、大きな声をかけた。

一瞬、松岡の背中がぴくっとゆれた。が、廊下の向こうに姿を消してしまった。

亀井がそれを見送ってから、十津川に向かって、

「やはり、彼は野心満々ですよ」

「そうらしい。あの男は頭がいいから、今の教祖が、バカに見えているんだろう。さまざまなイベントは、全《すべ》て松岡がマネージメントしているそうだからね。愚かな今の教祖より、自分の方が教祖にふさわしいと思ったとしてもおかしくないよ」

と、十津川はいった。

第五章　清《きよ》水《みず》寺《でら》

1

「まだ、京都におられましたね」

と、石野が電話でいった。

「あの手紙を読んだあとでは、すぐには東京には戻れませんよ」

と、十津川はいった。

「そうでしょうね。ところで、清水寺に行かれたことは？」

「ありますよ」

「では、一時間後に清水寺で会いましょう。例の清水の舞台で」

「何かあるんですか？」

「東京で殺された男がいたでしょう？」

「ええ。京都から私に会いに来たことはわかっているんですが、どうしても身元がわからなくて――」

「それが、わかりそうなんです」

「本当ですか？」

「だから、清水の舞台で一時間後に」

石野はそういって、電話を切った。

十津川は亀井と祇園《ぎおん》の旅館を出た。一時間あれば、歩いてゆっくり清水寺に着けるだろう。

八坂《やさか》神社の前の通り（東大路通《ひがしおおじ》）を渡り、二人は八坂通と呼ばれる細い路地に入って行った。

軽自動車がやっと一台通れるくらいの細い路地の両側には、小さな肉屋とか豆腐屋とか電気屋が、並んでいる。

観光客の姿はない。

しばらく歩くと、八坂の塔が見えてくる。高さ約四十メートルの五重の塔は国の重要文化財で、この辺りは小さな店や民家が並んでいるのでやたらに目立つのだが、その先に清水寺があるせいで、観光客はそちらに集まってしまい、八坂の塔の方には観光客の姿はほとんど見られない。

二人は石畳の急坂を登って行った。行く手に二年坂が現われる。そこを左へ降りて行けば、八坂神社である。

十津川たちは、道なりに歩いて行く。急な石段にぶつかる。三年坂（産寧坂《さんねい》）である。この名前には、さまざまな言い伝えがあって、転ぶと三年で死ぬから三年坂というのはもちろん俗説で、安産祈願の信仰から、産寧坂というのが正しいのだろう。

ここは、清水寺への参道だから、この辺から観光客の姿が多くなってくる。

三年坂を登ったところで、清水坂の通りにぶつかる。

たいていの観光客は、三年坂をあがってくるより、清水坂を登ってくる。この坂の途中に広い駐車場があり、そこで観光バスや車をおりて、坂を登ってくるからである。

清水坂にはいつも、観光客があふれている。道の両側にはみやげもの店が、ひしめいているが、陶器を売る店が多いのは、この辺りが清水焼の発祥の地だからだろう。

二人は清水坂を更に登って行く。

清水寺が見えてくる。境内《けいだい》には恋占いで有名な地主《じしゅ》神社があったりして、若いカップルが入って行く。

二人は清水の舞台の方へ向かった。

ここは、京都市街を一望できるので、観光客がいつも一杯だった。

二人が手すりの傍《そば》まで行って、市街を眺めていると、こちらに向かって手招きしている者がいた。

石野警部だった。

彼の傍に若い男女がいた。

十津川と亀井が寄って行くと、石野は、

「静かな所に行きましょう」

と、いった。

清水の舞台を出て、観光客のいない何もない場所に移ったところで、石野は十津川に
二人の男女を初めて紹介した。

「例の新興宗教の元信者の新島仁君と、羽田ひろみさんです」

「警視庁の十津川です。こちらは亀井刑事」

と、十津川は自己紹介したあと、石野の顔を見た。

「例の男の似顔絵をこの二人に見せて下さい。知っている顔かも知れません」

と、石野がいう。

十津川は用意してきた似顔絵を二人の男女に見せ、身体つきや服装を説明した。

新島仁と羽田ひろみは、似顔絵を見つめていたが、

「これは、小林君だ」

「小林君だわ」

と、同時にいった。

「どういう青年か、話して下さい」

十津川は二人に向かっていった。

「あの宗教組織には、青年部というのがありましてね。その中でも優秀と認められた人間でエリート集団を作っているんです。全員で二十名かな。彼もその一員でした」

と、新島がいった。

「それは教祖が決めるんですか？」

十津川が、きく。

「そういうことになっていますが、実質的には松岡が決めていました。誰がなれるとかじゃなくて、教祖に絶対服従の青年が選ばれたし、その選考は松岡がやっていたんです」

「あなた方も、そのエリート集団に入っていたんですか？」

「入っていました」

新島とひろみは同時に肯《うなず》いたが、その時の二人の表情は面白かった。照れたようであり、また得意気でもあった。やはり、選ばれたということが嬉《うれ》しかったのだろう。

「それなのに脱会したんだね？」

と、石野がいう。

「そうです」

「なぜ、脱会したんです？　エリートだったんでしょう？」

と、十津川はきいた。

「エリート集団に入ると、特別待遇されるんです。それで、ますます教祖や松岡に忠誠を尽くす人もいますが、反対に内情が見えてきて、嫌になってしまう人間もいるんです。一人の信者として、接していたときは、素晴らしい教理だと思っていたし、日本を救う教えだと思っていたのに、エリート教育を受けている中《うち》に、実際にその集団を動かしているのは松岡だということもわかってしまうんです。教祖は確かに純粋でいい人だけど、松岡に牛耳られている。名前は宗教だけど、ただの会社組織と違わないじゃないかと思ったんです。それで、脱会しました」

と、ひろみはいう。

「小林君はどうだったんですか？」

改めて、十津川はきいた。

「彼はふん切りがつかなかったんじゃないかな」

新島がいう。

「どういう風にです？」

「彼は宗教が好きなんです」

「面白い、いい方ですね」

「ちょっと他に表現のしようがないから」

と、新島は笑って、

「よくいるでしょう？　悩むのが好きな人間って。それで、安心するんです。自分はこれだけ悩んでいるんだと思うことが救いなんです。だから、あの宗教に辿《たど》りつくまでに、キリスト教や既存の仏教と、さまざまな宗教に入ってきたんじゃないかな。そんなことを聞いたことがありますよ」

「それで、あの宗教には満足していたんですか？」

「いや、満足していなかったと思いますよ。彼みたいな人間はどんな宗教に入っても、満足できないんですよ。悩むことが趣味みたいなものなんだから。一つの宗教に入信して、安心することはないと思いますね」

「しかし、あなた方のように脱会はしなかったんですね？」

「ええ」

「なぜです？」

「怖かったんだと思いますわ」

と、ひろみがいった。

「何が怖かったんです？　脱会すると報復されるんですか？」

「エリート集団の中には、僕たちみたいにかえって醒《さ》めた眼で見るようになってしまう者もいるけど、選ばれたということで精神がやたらに高揚してしまう者もいるんです。二十人の中、半数はそうでしたね。更にそのまた半数の五、六人は一種の狂気に落ち込んでしまうんです」

と、新島はいう。

「狂気ですか？」

「ええ。エリートとしての集団教育を受ける。教育といえば、きれいですが、実際は集団催眠ですよ。そういう教育は、松岡という人は上手でしたね。わざと、肉体的に苛酷《かこく》な訓練を続けるんです。疲労困憊《こんぱい》した時点で、催眠的な教育をする。そうすると、何人かの眼の色が変わってくるんです」

「わかりますよ。私も体験したことがある」

「そうですか。そうして狂気に取りつかれた何人かが、本当のエリートになるわけですよ。その連中が怖いんです。上から、大義名分を与えられれば、平気で人殺しもしますからね」

「小林さんはそれを怖がっていた？」

「肉体的にはね。他にあの宗教から離れて、無宗教の状態になることも、怖かったんだと思います」

「お二人は怖くないんですか？」

十津川がきくと、ひろみが小さく肩をすくめて、

「脱会したとき、今、新島君がいった人たちに取り囲まれて、お前を殺しておれも死ぬって、本当にナイフを突きつけられたことがありますわ」

「それで？」

「松岡が止めたんです。彼にしてみれば、下手をすると、自分が刑務所行きになるのを心配したんだと思います。あの人は教団の中で、一番俗っぽい人だから。欲望が人一倍強いんです。だから、私や新島君は放っておいても地獄に落ちるんだ、といって、止めたんですよ」

「その狂気の連中ですが、本当に人殺しもやりますかね？」

と、亀井がきいた。

「やりますよ」

新島が、きっぱりといった。

「なぜ？」

「宗教ってそんなものでしょう。キリスト教は愛を説きながら、十字軍を作って殺戮《さつりく》した。仏教だって、慈母《じぼ》観音《かんのん》と羅刹《らせつ》が裏表になっている」

「この人は知っていますね」

十津川は死んだ女の似顔絵を二人に見せた。

「知っていますよ。ゆみさんです」

と、新島がいい、ひろみも肯いた。

「彼女も信者の一人だったんですか？」

「何日間か一緒にいたことはありますよ。だが、本当に信者だったかどうか」

「あれは、ただ単に松岡が好きだったのよ」

と、ひろみが断言した。

「そうだったかな？」

新島が首をかしげると、ひろみは、

「見え見えだったわ。松岡を見る眼が全《すべ》てを示していたわ」

「それで、松岡の方はどうだったんですか？」

「明らかに困っていましたよ。だから、殊更《ことさら》、冷たくしていましたわ」

「どうしてでしょう？ 彼女に対する愛情がさめてしまっていたからだろうか？」

「それもあったかも知れないけど、松岡は野心家だから、ゆみさんだけ大事にしたりすれば、他の信者、特に女性信者に離れられてしまうかもしれないと思って、心配だったんだと思いますわ」

「小林さんはどうも彼女が好きだったようなのですが、わかりましたか？」

「それはわかっていましたよ」

と、新島は微笑していい、

「小林君の態度でわかりましたよ。だから僕は、そっちの方に気を取られてしまったんだ」

「一般の信者、特に二十人のエリート集団は、彼女のことをどう見ていたんでしょう？」

と、十津川は、二人にきいた。

「いろいろな見方をしてましたよ。若くて美人だから目立つしね。中には、松岡のスパイじゃないかと思っていた者もいましたね」

「スパイ――？」

「松岡と彼女が二人だけでいるのを目撃したのがいたんです。下っぱの信者が松岡と二人だけでいたんで、そう思ったんです」

と、新島はいった。

「彼女は竹林で殺されていたんですが、もし、ゆみさんと知っていたんなら、なぜ、警察に知らせなかったんですか？」

亀井が咎《とが》めるようにきいた。

新島とひろみは一瞬、顔を見合わせたが、

「関わり合いになるのが嫌だったんです」

と、新島はいった。

「つまり怖かった？」

「今、いったように、狂気の連中が何をするか分かりませんでしたからね。それに彼女がゆみさんということしか、知らなかったんです」

新島はいいわけがましく、いった。

「小林さんは東京で殺されたんですが、わざわざ東京まで追いかけて来て、殺すというのはどういうことですかね？」

十津川が、きいた。

「犯人は連中だと思っているんでしょう？」

ひろみがきき返した。

「そうです。松岡が命令したのではないかと疑っています」

十津川は、正直にいった。

「距離なんか問題じゃないと思いますわ」

と、ひろみはいった。

2

「なぜですか？」

十津川が、きく。

「宗教では、世界の何処《どこ》だって教祖の支配するところなんです。京都だから、東京だからなんて問題じゃない。とにかく、そうなっています」

「小林さんは、殺されたゆみさんのことをわれわれに話そうとして東京にやって来て、殺されたんですよ。口封じだと思っています。松岡が命令すれば、狂気の連中はその指示に従いますかね？」

「もちろん、従いますよ。それも進んでね」

と、新島がいった。

「その連中の名前を教えてくれませんか」

と、十津川は頼んだ。

新島とひろみは躊躇《ちゅうちょ》していたが、重ねて十津川が頼むと、新島が十津川の手帳に五人の名前を書いてくれた。

進藤一郎
長田信哉《しんや》
秋元　弘
小松　猛《たけし》
吉村めぐみ

「全員、二十五から三十歳までだと思います」

と、新島はいった。

「女性もいるんですね？」

「時には女の方が狂気になりやすいわ」

と、ひろみがいった。

「この五人は松岡の命令には絶対服従ですか？」

十津川が、改めてきいた。

「今は、そうだと思いますね」

新島はそんないい方をした。

「今は――というのは、どういう意味です？」

「宗教って、どうしても狂気の一面があるんです」

「理屈で納得するというのは、宗教でなくて哲学じゃないですか」

「ええ」

「ええ」

「そういう意味では、松岡というのはもっとも宗教から遠い人ですよ。狂気になれないんだから」

「教祖はどうなんです？」

「自分の力で日本を救おうと思っている。いや、この地球を救おうと思っている。普通の正常な人間がそんなことは考えませんよ」

と、新島は笑った。

「つまり教祖も狂気の人だということですか？」

「どの宗教の教祖だって、多かれ少なかれ、狂気の人ですよ」

「すると、この五人はどっちに忠実なんですか？」

と、石野がきいた。

「今は、どちらにも忠誠を誓っていると思いますよ。松岡は頭がいいから、教祖と自分は一体だといい続けているし、自分の命令は教祖の命令だといっているに違いありませんからね」

と、新島はいった。

「この五人の写真が欲しいな」

十津川は手帳を見ながら、いった。

「写真を用意してくれたんじゃないのか」

と、石野が二人にいった。

ひろみがハンドバッグから、一枚の写真を取り出して、刑事たちに見せた。

松岡を中心にして、二十人の若い男女が並んでいる写真だった。その中に、新島とひろみもいた。

「松岡が選んだエリート二十人ですよ」

と、新島が苦笑した。

「この中に五人がいるんですね？」

「ええ」

「印をつけて、名前を写真の裏に記入して下さい」

と、十津川はいった。

新島とひろみが写真にボールペンで印をつけ、裏に名前を書き込んでくれた。

「これから、あの宗教はどうなっていくと思いますか？」

最後に、十津川が二人にきいた。

「どうなりますかね」

と、新島は妙に醒《さ》めた眼になって、

「松岡は明らかにあの宗教をのっとる気でいます」

「そう断言できますか？」

「僕と彼女が脱会したとき、松岡が表では僕たちを罵倒《ばとう》しておきながら、かげで、こんなことをいったんです。教祖に対して君たちがあき足りない気持なのはよく分かる。私も、いつかこの宗教組織を大改革する気でいる。だから、我慢して残って、そのとき、私を助けてくれないかって」

「それで、どうしました？」

「その時、ああ、この男は組織をのっとる気だなと思いましたね」

「今の教祖に代わって、自分が教祖になる気だと思ったんですか？」

「最初はそう思いました。しかし、松岡には教祖に必要なカリスマ性がありませんよ。つまり、狂気になれない人なんです。彼自身もそれをよく知っていると思います。だから、もっと陰湿な方法でのっとるんじゃないか。そんなことに巻き込まれたら大変だと思って、断りましたよ」

「私も」

と、ひろみもいった。

「陰湿な方法ですか」

「ええ。だから、ゆみさんや小林君を殺したのは教祖とは思いませんね。松岡が命令したに決まっています」

と、新島はいった。

それで話は終わり、二人の若者は観光客の中に消えていった。

「醒めてますねえ」

亀井が感心したようにいった。

「それ、賞《ほ》めているのかね？ カメさん」

と、十津川はいう。

「あれだけ醒めているのに、どうして一時的にせよ、あんな宗教に入ったんですかねえ？」

「私にもわからないよ」

「コーヒーでも飲みに行きませんか」

と、石野が誘った。

3

石野が案内したのは、二年坂と三年坂の間にある、忘我《ぼうが》亭《てい》という店だった。

参道に面していたが、京都の店らしく、奥が深く、店の更に奥の庭にも、テーブルが並べてあった。

そこに三人は腰を下ろした。

「忘我亭って、いい名前でしょう」

と、石野はいった。

若者に人気があるらしく、若いカップルの客が多い。

造りは和風だが、中は洋風だった。京都はこういう店が多い。

隣りで和紙の工芸品も売っている。

三人はコーヒーを注文した。

十津川は改めて、新島たちがくれた写真をテーブルに置いて、眺めた。

「狂気の五人ですか――」

「彼等の犯行を証明するのは難しいですよ」

と、石野がいった。

「狂気に陥っているからですか？」

「それに、こういう連中は団結が強いんです。嘘《うそ》のアリバイだって平気で作るし、自分たちは悪いことをしたとは思っていない。だから、難しいんです」

「だが、松岡がこの五人に命じて、殺させたのは間違いありませんよ」

と、亀井がいった。

十津川は、「いや」と首を振った。

「小林を東京で殺したのはこの五人で、松岡が命じたんだと思うが、ゆみを殺したのは違うと思うね」

「どうしてですか？」

「彼女が何日間かだけあの宗教に入ったといっても、信仰のためではなく、ひたすら好きな松岡の傍にいたかったからだ。信者だったと思えないと、あの二人もいっていたじゃないか。事実そのあと東京に帰り、時々京都に来るだけになっている。松岡が教祖を守るためだとか、組織の敵だといっても、この五人がその言葉を信じて、京都に来たゆみを殺すとはとても思えないんだよ」

「とすると、松岡本人が手を下したということですか？」

「そう思っている。ゆみが松岡を殺そうとして、逆に殺されたのだと私は思っている」

と、十津川はいった。

「すると、松岡は自分で彼女を殺しておいて、彼女の石仏（羅漢）を作ったというわけですか？」

「やはり、寝ざめが悪かったんだろう」

「次にどうなるんですか？」

亀井がきく。

十津川は煙草《たばこ》に火をつけて、考え込んでいたが、急に石野に眼をやった。

「どうも、わからないことがあるんですが」

「何です？」

「今日のことです」

「十津川さんが、東京で殺された男の身元がわからなくて困っていらっしゃるので、あの二人を見つけて来たんですよ」

「感謝しています。ただあの二人は、脱会者でしょう。下手なことをすると、狙われるかも知れない。それなのに、なぜ、わざわざ一番目立つ清水寺の舞台で会うことにしたのか、それがずっと引っかかっていたんですよ」

「それで、どう思われたんですか？」

石野は落ち着いた声できいた。

「あなたがついうっかり、清水寺にしたとは思えないのです。あなたは思慮深い人だから」

「恐れ入ります」

石野は冗談めかしていう。十津川はそれには合わせずに、

「あなたは、わざと人の多い清水寺で会うことにしたんでしょう。当然、あの組織にマ

ークされる。危険な脱会者が警察の人間と会っていた。それはすぐ松岡に報告される。それも読んでおられたんだと思います」

「十津川さんには、かないませんね」

と、石野は笑った。

「それに、あなたはおひとりで部下の刑事を連れて来られなかった。不用心です。それも、あなたらしくない」

「正直にいいましょう。刑事たちは来ていたんです」

「そうでしょうね。そうだと思いました」

「あの清水寺の舞台には、万一に備えて七人の刑事を配置しておきました」

「今は？」

「あの二人を尾行しています。誰か、狂信的な連中が狙わないかどうかを警戒してです」

「狙うことを期待しているんじゃありませんか？」

十津川がきくと、石野はその質問には答えず、

「美しい女性が美しい竹林の中で殺されました。私としては、何としてでも犯人を逮捕して、この事件を解決したいのです」

と、力を籠《こ》めていった。

「犯人は、松岡に違いないと思っているんですね？」

「今、十津川さんの意見を聞いて確信を持ちました」

「だが、あの組織の中に隠れている松岡を逮捕するのは難しいですよ。松岡のアリバイならいくらでも作れるでしょうし、証言者も何人だって作れる」

「そうです。ゆみが殺された時刻に、松岡があの寺の中にいたという証人は、少なくとも五人は出てくるだろうと思っています。その五人の証言を崩すのは難しい。何しろ、相手は正常な神経の持主ではないんですからね。それで、どうしたらいいか、考えました」

「その答が、今日の清水寺ですか」

「私は京都生れの京都育ちです。先日もいいましたが、落ち着いてじっくり待つのが私のやり方でした。焦《あせ》らず、相手が勝手に崩壊してくるのを待つのです。今までその捜査方針でやって来ました。ところが今回の事件では、その捜査方針がうまくいかないことがわかってきました。それで、積極的に動いて何とか相手を、あの城の外に引きずり出したい。そう考えて、今日はちょっと芝居がかったマネをしたのです。十津川さんまで、その芝居に参加して貰《もら》って申しわけないと思います」

石野は淡々と喋《しゃべ》った。

「それは構いませんが、問題は、果して松岡がどう出るかですね」

と、十津川はいった。

「その通りです。私はあの宗教の内部事情を徹底的に調べました」

「それで、どういうことがわかりました？」

「あの教団が今日まで大きくなった理由について、教祖と熱心な信者たちは、自分たちの教義の正しさと教祖のカリスマ性だと信じています。だが、松岡はそう思っていません」

「そのことは先日、石野さんに教えて貰いましたね。松岡が美術商時代につちかった人脈を生かして金を集め、あの教団を大きくしたと」

「それは事実なんです。だから松岡は、あの教団は自分のものだと考えている。彼自身は肝心なカリスマ性がないことを知っていますから、自分が教祖になるのは難しいと考えているようです。だから、いつか、自分が自由に動かせる新しい教祖を立てたいと」

「具体的にどうやるつもりですかね？」

「今の人気のある教祖が死ぬ。その時、教祖と血のつながりのある幼い子供を新しい教祖にして、自分が完全な実権を握る。そう考えているようです」

「まるで、昔のお家騒動みたいですね」

十津川がいうと、石野は笑って、

「その通りなんです。悪家老が殿様を殺し、幼君を立てて藩の実権を握る。いわれてみれば、その通りですね。松岡はその日に備えて、エリートの集団を作りました。二十名の若者たちです。いざとなれば、彼等を自分の方につけるつもりだったんでしょう。ところが、その中に五人の狂信的な若者が生まれてしまった。彼等は純粋なだけに、いざとなったとき松岡にはつかず、教祖につくだろうと思われるようになったんです。それだけじゃありません。教団のことで何かと出しゃばった行動に出る松岡に対して、たかが信者の一人ではないかという反撥《はんぱつ》の声も聞こえるようになってきています」

「松岡にとって、あまり楽しくない空気が教団の中に生まれているということですね」

と亀井がいった。

「そうです。次第に松岡は焦燥《しょうそう》に駆られて来ているようです。私が調べたところ、ここに来て、松岡は何かというとすぐ腹を立てるという噂《うわさ》です」

「しかし今は松岡のアリバイを証言する人間は、何人もいるわけでしょう?」

十津川がきいた。

「今はそうです。ゆみ殺しの容疑がかかっても、松岡を守るのは教団を守ることだという意識で、彼のアリバイをみんなが証言すると思うのです。しかし、ゆみ殺しがただ単に松岡との個人的な愛憎が原因だった、それも松岡が彼女を裏切ったうえ、殺したのだとわかれば、信者たち、二十人のエリート連中がどういう態度を取るか、見ものだと思っていますし、それに期待しているのです」

石野は熱っぽくいった。

「さっきの二人の脱会者を見つけた時、その考えを持たれたんですか？」

「まあ、そうです。あの二人を上手《うま》く使えば、松岡を教団の庇護《ひご》の下から引きずり出せるかも知れないと考えたんです。これから、二人を尾行している刑事たちの報告を聞きに行くので失礼します」

石野が立ち上った。

4

十津川と亀井は、少しおくれて忘我亭を出た。

二年坂をおり、みやげ物店や食事所の並ぶ通りに入る。八坂から清水寺に行く、或《ある》いはその逆へ行く人たちが通る道である。

京料理を食べさせる店、占いもやってくれる喫茶店が並ぶ。

十津川は黙って歩く。何か考えているのだろうと、亀井も黙っている。

高台寺の前の路地に入る。その先が八坂神社である。

「カメさんに相談があるんだがね」

十津川が、ふいに立ち止まっていった。

「賛成です」

「まだ何もいってないよ」

と、十津川が苦笑する。

「どんなことでも、私は警部と一心同体ですから」

と、亀井はいった。

「だが、下手をするとまずいことになるかも知れない」

「それでも、事件の解決には必要なことなんでしょう？」

「当たり前だ」

「それなら、やりましょう」

と、亀井は微笑した。

「じゃあ、話す」

十津川はまた歩き出した。八坂神社への方向には行かず、左に折れて石塀小路に入って行った。

名前だけは有名だが、あまり観光客の姿はない。この路地の両側に並ぶのは、ほとんど普通の家だし、たまに店があっても極く目立たない造りになっているからだろう。

ただ、散歩するには静かで心地が良い。

「私はここが好きでね。特に何か考えながら歩くにはいいんだ」

と、十津川はいった。

「静かですね」

「そうなんだ」

と、十津川は肯《うなず》き、そのあとで、

「石野警部のいう通り、今の状況では、松岡は公称一万人の信徒の壁に守られて、手出しが出来ない」

「そうですね。彼のアリバイを証言する者は何百人だって用意してくるでしょうから」

二人の靴音が、石畳に小さくひびく。聞こえる音は、それだけだ。

両側の家々は、塀をめぐらしていて、人の姿が見えない。広告らしいものもない。ここが風致地区だからだろうか。

「それで、松岡をこちらの土俵に引きずり出したい」

「石野警部もそういっていましたね」

「彼とは別の方法を使いたいんだ」

「どんな方法ですか？」

亀井がきく。

「松岡の弱みは、ゆみという女だ」

「そうですね。彼女を殺したのは、私も、松岡自身だと思っています」

「そこで、彼女の親友を作る」

と、十津川はいった。

「親友ですか？」

「そうだ。ゆみのことを何でも知っている友人だよ」

「その親友を使って、松岡をゆすぶるわけですか？」

「ああ」

「しかし、果して松岡が信じるかどうかが問題ですね。私たちはゆみという女のことをあまり知りませんが、松岡はよく知っています。こんな親友はいなかった筈《はず》だと思われたら、それで終わりです」

「だから、細工をする」

「どんな細工ですか？」

「三上刑事部長に相談したら、絶対に許可されないようなことだ」

十津川がいうと、亀井は笑って、

「あの慎重居士《こじ》の部長が、ノーということなら、だいたい想像がつきます。大賛成です」

「じゃ、相沢圭一郎さんの家へ行こう」

と、十津川はいった。

タクシーを拾い、相沢の邸《やしき》に行く。二人とも二度目の訪問である。

未亡人の京子に会い、十津川は、

「ゆみさんの手紙をお借りしたいのです」

と、頼んだ。彼女が自分の亡《な》くなった息子の石仏を作ってくれと、相沢圭一郎に頼んだ手紙である。

京子は、二階の書斎から持って来ると、

「主人を殺した犯人を、捕まえる役に立つんでしょうか？」

と、十津川にきいた。

「もちろん、そのためにお借りするんです」

「それなら、どうぞ」

と、京子はいった。

手紙を借りると、十津川は亀井に、

「すぐ東京に帰ろう」

と、いった。

タクシーで京都駅に行き、新幹線に乗った。ひどくあわただしい帰京になった。

「これから、どうするんですか？」

亀井がきく。

「この手紙をマネて、ニセの手紙を作る」

十津川はあっさりといった。

東京に着くと、捜査本部には戻らず、警察庁の科研に向かった。

そこで会ったのは、筆跡鑑定の専門家である。大野木という六十歳の男で、日本では最高の専門家といわれている。十津川も何回か、捜査上、大野木の世話になっていた。

「先生にお願いがあります」

と、十津川はゆみの手紙を大野木の前に置いた。

「この手紙の筆跡鑑定か？」

「いえ。この手紙の筆跡をマネて、架空の手紙を作って貰《もら》いたいんです」

「おいおい。私は筆跡鑑定の専門家で、筆跡をマネる専門家じゃないよ」

「しかし、偽筆《ぎひつ》のプロは何人かご存知でしょう？」

「知っていることは、知っているがね」

「じゃあ、頼んで下さい」

「誰を騙《だま》すんだ？」

「普通の男です」

「素人か？」

「だが、ただの素人じゃありません。殺人容疑者です」

と、十津川はいった。

「ふーん」

と、大野木は考え込んでいたが、

「その男は、この手紙の主を良く知っているのか？」

「恋人だった男です。ですから、よほどいい偽筆でないと、騙せません」

「相手が、筆跡鑑定を専門家に頼んだら？」

「それはしないと思います。後暗いところのある人間ですから」

「殺人容疑者だから？」

「そうです。この手紙の主、つまり恋人を殺したんです」

「なるほどねえ。しかし、これが公《おおや》けになったら、現役の刑事が私文書偽造の罪に問われることになるぞ」

「わかっています」

「その上、この私はそれを助けた共犯になる」

「そうなるでしょうね」

「いやにあっさりいうね」

と、大野木は苦笑してから、

「相手はそんなにワルかね？」

「ワルです」

「しかし、君は何人も悪人を相手にして来てる筈だ。その中でも相当なワルかね？」

「この男は、信仰の背後に隠れていて、捕まえるのが大変なのです」

「宗教家か？」

「それならいいんですが、彼自身は醒《さ》めていて、信仰などとは無縁の人間です」

「よくわからないが――」

「私の言葉を信じて下さい」

「成功する可能性は？」

「私はいつでも成功すると思って、行動しています」

と、十津川はいった。

「それで、どんな偽書を作ればいいんだ？」

「私が文章を作りますから、この手紙の筆跡で、私の文章どおりに書いて貰いたいんです」

十津川は、部屋の隅の机を借り、途中で買って来た便箋《びんせん》と封筒を取り出した。

便箋に向かい、考えながらボールペンを走らせた。

〈早苗様

突然、手紙なんか出してごめんなさい。どうしても、誰かに聞いて欲しいことがあるんです。

私は京都で恋をしました。笑わずに最後まで読んで下さい。京都の町でふと、何気なしに入った古美術の店で恋に落ちてしまったんです。小説なんかで、そんな文章を読むとバカにしていたんです。それなのに自分が簡単に恋に落ちてしまって恥しい。

でも、本当に好きになってしまったんです。

松岡というその美術店の主人でした。若いご主人。彼も私を好きになってくれました。いえ、そう思っていました。

私は東京で、彼は京都だから、今はやりの遠距離恋愛。そんな言葉にも、私は酔っていたんです。

彼はその中に、京都の宗教団体に入りました。私も彼が好きだったから、彼に会いたいためだけに入信したこともあります。

その間に、私は彼の子供を産みました。男の子でした。でも、その頃から彼の態度が冷たくなっていったんです。それでも私は彼の愛を信じていました。生まれた子供の顔が彼に似てくると、彼もこの子の顔を見れば、優しくしてくれるのではないかと、思いました。

そんな期待は全《すべ》て裏切られてしまった。子供が重病にかかり、その治療にお金がかかるので、女性の立場に立つという弁護士に相談したんです。あなたも名前だけは知っているかも知れない。高木亜木子という弁護士さんです。彼女は私を励ましてくれて、彼に会いに行ってくれたんです。

でも、彼は何もしてくれませんでした。私は悲しいよりも、腹が立って、彼に会いに行きましたが、それも拒否され、子供は死にました。

そのうえ、驚いたことに彼女は松岡と出来てしまったんです。弁護士の義務を放棄してしまったんです。

私は彼に裏切られ、頼みの弁護士にも裏切られ、子供も失いました。もう、何も残っていない。

今の私に残っているのは、彼に対する恨みだけ。憎しみだけ。だからこれから京都へ行って、彼を殺します。

でも彼には味方は多いし、宗教に絡んで信仰の壁にも守られているから、多分私の方が殺されてしまうでしょう。もし、私が死んだとわかったら、私と死んだ子供のために祈って下さい。

ゆみ〉

十津川は見本として、封筒の表に、

〈世田谷区——町二〇一—五—八〇七 北条早苗様〉

と書き、裏には「ゆみ」とだけ書いた。

「消印も押して欲しいんです。東京中央で、日付は今年の四月二十三日前後がいいですね」

と、大野木にいった。

5

十津川はそのあと、亀井と捜査本部に戻った。

北条早苗刑事を呼び、亀井と二人で彼女に事情を説明することにした。

「三上部長には内密で行動して貰《もら》いたいんだよ」

と、十津川はいった。

「部長に話したら、反対されるからですね」

「そうだ。それに、いざとなったとき部長に責任を負わせたくない。私の責任でやりたい」

「わかりました。それで私は、何をやればいいんでしょうか？」

早苗が緊張した顔できく。

「京都で死んだゆみの親友になって貰いたい」

「でも、私はゆみという女性を全く知りませんけど」

「至急、われわれが彼女について調べる。彼女は死ぬ前に、親友の君に手紙を書いていた」

「手紙をですか？」

「間もなく、その手紙が出来てくる。自分が松岡という男に殺されるかも知れないと書いた手紙だ」

「偽作ですよね？」

「もちろんそうだ。君は義憤にかられ、その手紙を持って京都へ行く」

「松岡という男に会うんですね？」

「いや、直接会ってもどうにもならない。彼は否定するに決まっているからだ」

「では、誰に会えば――？」

「彼は今、京都の新興宗教で、広報課長をやっている。その教団を大きくしたのは自分の力だと思っている。本当は宗教心などない男なんだ」

「そうでしょうね。本当に宗教心があるのなら、愛する女を不幸になんかしませんわ」

「そうだ。公称、信徒一万といわれる教団だが、松岡に反対するグループもいるらしい」

「わかりました。その勢力に働きかければいいんですね」

「そうだが、そう簡単なことじゃないぞ。教団内部で、誰が松岡と対立しているか、見極めるのは難しいからね。とにかく、松岡を教団から孤立させたいんだ」

と、十津川はいった。

翌日から、十津川はゆみという女のことを調べにかかった。

六年前に東京で男の子を産んでいることや、相沢圭一郎への手紙の消印は杉並区内のものだということはわかっている。

西本たちが杉並に行き、問題の郵便局の周辺を、ゆみの似顔絵を持って聞き込みに廻った。

まず、彼女がかかっていた病院が突き止められた。

杉並区和泉にあるSという総合病院である。

そこの産婦人科で数年前、岡部ゆみという女性が、男の子を生んでいることがわかった。

医者と看護婦に聞くと、似顔絵の女に間違いないという。

彼女の住所もわかった。

その病院から歩いて十二、三分のところにあるマンションだった。

和泉スカイマンションという名前である。その三〇五号室。

十津川と亀井は出かけて行き、管理人に開けて貰った。

1LDKの部屋である。管理人の話では、七年前からここに住んでいたという。

「いい方ですよ。きれいで、まじめで。このところ、お顔を見ていませんが」

と、女の管理人はいった。

「子供と一緒に住んでいた時期があったでしょう？」

十津川がきいた。

「ええ。可愛《かわい》い男のお子さん。でも、可哀《かわい》そうに亡《な》くなってしまって――」

部屋に入る。

十畳くらいの洋間と六畳の和室という造りだった。

きれいに片付いてはいるが、何もない部屋だ。いや、必要最小限のものはあるのだが、ぜいたくといえるものは何も見当たらない。

それが、女の部屋なのに、妙にわびしい感じにさせているのだろう。

壁にはパネル写真が一枚、かかっていた。彼女と息子が一緒に写っている写真だった。これを小さくしたものを、彼女は相沢圭一郎に送ったのだろう。

三面鏡の引出しを開けてみた。

手紙の束と、アルバムが一冊。

アルバムは、子供の写真ばかりだった。他に、松岡の写真もあったのだろうが、京都へ行くとき、焼き捨ててしまったのか。

手紙の束の方も同じだった。松岡の手紙は一通もない。

「岡部さんは、どんな仕事をしていたんですか？」

と、十津川は管理人にきいた。

「確か、四谷の建築会社で事務をやっていらっしゃったと思いますよ。お子さんが病気になってからは、そこを辞めて新宿でホステスをなさっていたみたいですけど」

「新宿でホステスをね」

「ええ」

多分、子供が病気になり、金が必要だったのだろう。

十津川は手紙の束の中から、彼女と親しかったと見られる文面のものを選んだ。

仁科《にしな》しのぶという名前だった。文面から見ると、どうやら短大時代の友人らしい。

「この女性に会ってみよう」

と、十津川は亀井にいった。

大田区の住所の仁科しのぶに会いに行く。

高層マンションの七階に住んでいた。すでに結婚して、子供もいた。娘はまだ帰っていないという。


「今日は岡部ゆみさんのことで伺いました」

と、十津川はいった。

しのぶはコーヒーをいれながら、

「なにかあったんですか。ここしばらく連絡していなかったのですが」

「実は、ゆみさんが京都で何者かに殺されたんです」

「えっ、本当ですか」

「大学時代のお友だちのようですね」

「ええ。N女子短大の同期。昔風にいえば、本当の才媛《さいえん》でしたわ。きっと素敵な人と一番早く結婚すると思っていたのに――」

と、しのぶは絶句する。

しばらくして落ち着いた彼女は、二人にコーヒーを注《つ》いでくれてから、

「犯人はわからないんですか？」

「必ず、逮捕します」

と、十津川はいってから、

「松岡という男のことを、ゆみさんから聞いたことがありますか？　古美術商だった男

です」

「ええ。聞きましたよ。ずいぶん前に聞いたときは、京都で素敵な恋を拾ったなんてロマンチックなことを、笑顔で話してくれたんです。京都は恋の町ねって話して、私は羨《うらや》ましいなって思ったのを憶《おぼ》えていますわ。それが松岡という人だったんです」

「そのあと、どうなったか知っていますか？」

十津川は確認するようにきいた。

「その人の子供を産んで、その子を連れてうちへ遊びに来たことがありましたよ。可愛い男の子。彼に似ているんだっていってたけど、その頃から彼女、暗い感じになってしまって。理由を聞いてもいわないし、心配してたんですよ。彼とうまくいってないんじゃないかと、思っていたんですよ」

「その男の子が、死んだことはご存知ですか？」

と、亀井がきいた。

「あとになって、知りました。京都の彼とうまくいかなくなってから、あの子がゆみの生き甲斐《がい》だったのにね。彼女、自殺してしまうんじゃないかと心配したんですよ。それが京都で殺されてしまうなんて。もしかして、ゆみを殺したのはその松岡という人ですか？」

「多分、そうだと思っています」

十津川が肯《うなず》く。

「きっぱり別れたと思ったのに、なぜ会いに行ったりしたのかしら？」

「わかりません」

と、十津川はいった。

（彼を殺しに行った）

とは、いえなかった。正直にいって、岡部ゆみの本当の気持は、今となってはわからないのだ。

愛憎というのは難しい。特に女性の気持というのは、男の十津川にはわからない。ただ刑事としては、彼女を殺した人間は絶対に逮捕しなければならないのだ。

しのぶは昔の写真を何枚か出して来て、見せてくれた。

N女子短大の頃の写真。卒業後、親しい仲間と京都に旅行したときの写真。

どの写真に写っている岡部ゆみも、若くて、美しくて、何よりも明るかった。

「この頃から、京都へ行ってたんですね」

十津川は写真を見ながら呟《つぶや》いた。

「女性って、みんな京都が好きですよ。でも、ゆみは特別だったかな。ゆかたなんか着て歩いていると、京女より京女らしく見えたんです。ただ、京都の風景が好きというのではなくて、京都の美術が好きだったんですよ。ひとりでじっと京都の仏さんと向かい合っていたりして。年寄りくさいって、いったりしましたけど」

「一緒に、ゆかたを着た写真がありますね」

「それ、川床《ゆか》で撮ったんです」

「ああ、鴨川に張り出した、座敷ですね」

「ええ。本当は、八月の五山の送り火の時に行きたかったんですけど、どうしても席がとれなくて」

「あの日は、ホテルも料理屋も満員ですからね」

「三人で、よく京都へ行ったんですよ。私と、ゆみと、みどりという友だちと。彼女は今、アメリカに行ってますけど」

「この女性ですね」

十津川は、三人で写っている写真を見た。

「ええ。彼女が帰国したら、一緒に京都へ行って、ゆみを偲《しの》ぼうと思います」

と、しのぶはいった。

「なるべく早く事件を解決させますから、出来ればそのあとで、京都へ行って下さい」

「犯人が捕まったら、彼女の恨みは消えるでしょうか？」

「消えると思いますよ。そうなることを望んでいます。もともと彼女が京都を憎んでいたとは思えませんからね」

「彼女にとって、いつも京都の町は美しい憧《あこが》れだったのかしら?」

しのぶがきく。

その答も、十津川はわからなかった。

(ゆみは松岡を憎むと共に、京都の町も嫌いになってしまっていたのだろうか?)

そうかも知れないし、違うかも知れない。彼女は亡くなった息子の石仏(羅漢)を、東京の寺ではなく、京都の愛宕《おたぎ》念仏寺に奉納している。それを考えると、彼女は最後まで京都を愛していたと思うのだが。

「この写真をお借りしたいのですが」

と、十津川はしのぶにいった。

第六章　鴨《かも》　川《がわ》

1

北条早苗は、京都に降り立った。

京都はじめじめと暑く、今が一番しんどい季節かも知れない。

盆地にある京都の町は風が吹かない。特に夏は、なぜか他の季節以上に風が吹かないのだ。

早苗は夏の服装に、観光客らしく小型のカメラをぶら下げている。

まず寄るところは、十津川警部から指示されていた。

バスで新京極に出て、その通りの喫茶店で働く女性を訪ねるのだ。

新京極はいつも、修学旅行の学生であふれている。最近は、四、五人ずつタクシーに乗って市内見物をするのがはやりで、今日も修学旅行の生徒が数人かたまって、店をのぞいている。

早苗は「あい」という喫茶店を探して、中に入った。

若い女性客が多いのは、ここのあんミツが美味《うま》いせいらしい。

早苗は、ここで働く羽田ひろみに会うようにいわれていた。

「どうしても、あなたに聞いて頂きたいことがあって、東京から会いに来たんです」

と、早苗はひろみに会うなり、頭を下げていった。

「どんなこと？」

ひろみは、警戒するような眼で早苗を見た。

「あなたが脱会なさった宗教団体のことで」

「ちょっと待って」

ひろみは奥に行き、店のオーナーに話をして来ると、

「外へ出ましょう」

と、早苗にいった。

「いいんでしょうか？」

「構わない。あの店は叔母がやってるから」

と、ひろみはいった。

二人は、四条通を八坂《やさか》神社の方向へ歩いて行った。

「どのようなことでしょう？」

ひろみが改まった口調できく。

「何処《どこ》か静かな所で、お話ししたいんだけど」

「それなら、知り合いのお茶屋へ行きましょう」

と、ひろみはいった。

橋を渡り、一力茶屋《いちりきぢゃや》のところを右に入ると、祇園《ぎおん》特有の店構《みせがまえ》が並ぶ。

窓には陽よけのスダレがかかり、昼間の今は眠ったように静かだ。

ひろみはその一軒に早苗を案内した。

出て来た女性にひろみは、

「二階の部屋を貸して」

といって、早苗を案内して急な階段をのぼって行った。

十畳ほどの部屋である。

クーラーがなくて、扇風機が回っている。

女将《おかみ》は冷たい麦茶を持って来ただけで、階下におりてしまった。

「いいんでしょうか？　勝手に来てしまって」

早苗が恐縮してきくと、ひろみは笑って、

「あたしはここの娘みたいなものなの。それに夕方になると、お客が来て、舞妓《まいこ》さんが来て、賑《にぎ》やかだけど、昼間は誰も来ないわ」

「本当に静かだわ」

「昼間の祇園を歩いてるのは、観光客だけ。それで、あたしに話したいことって？」

「これをまず、読んで頂きたいの」

早苗は持って来た手紙を差し出した。

ひろみは黙って読んでいたが、読み終ると、

「この北条早苗さんって、あなた？」

「ええ。死んだゆみは、短大時代からの友人だったんです」

「そう」

「この手紙をあたしにくれたあと、いなくなってしまって。京都で殺されたと聞いたとき、そこに書いてある男に殺されたんだと思った」

「教団の松岡ね」

「ゆみは、どんなに口惜《くや》しかったかと思うの。裏切られて、子供も失って揚句《あげく》の果てに殺されてしまったんですものね」

「わかるわ」

と、ひろみが肯《うなず》く。

「何とかして、仇《かたき》を取りたい」

「無理だわ」

「どうして？」

「彼は教団に守られてるもの。それに教団のためなら、どんなことでもする若いグループがいる。彼女を殺したのは松岡本人だと思うけど、その狂信的なグループが彼を守ってるわ。東京で殺された人がいるの。小林という人でね。ゆみさんを好きだった。それで、松岡のことを東京の警察に訴えに行って、今いった連中に殺されてしまったんだと思うわ」

「でも、その若いグループは、教団を守る人たちなんでしょう？」

「ええ」

「もし、松岡という男が教団のためにならないということになっても、そのグループは彼を守るかしら？」

「それはしないでしょうね。連中は教祖に忠実なのであって、松岡に忠実なわけじゃないから」

「じゃあ、何とか彼を教団から引き離してしまえば、彼は無力になるんじゃないかしら？」

「口では簡単にいえるけど、難しいわよ。松岡に、教団を今の大きさに育てる力があったからこそ、教祖は彼を信用して、広報の仕事を委《まか》せているんだから」

「教祖は、どういう人なんですか？」

「教養はないけど、カリスマ性があるわ」

「道徳的には、厳しい人？」

「教義の中に、十戒みたいなものがあるわ。そのストイックなところが、今の若者を引きつけているみたいね」

「じゃあ、幹部の松岡が女を捨てて、あげくに殺したらしいとなれば、教祖は彼を信用しなくなるんじゃないかしら？」

「ちゃんと教祖の耳に入ればね。でも、広報は松岡がやっているから、あなたがいくら叫んでもうまく届かないと思うわ」

「教団の中に、松岡のことを嫌っている人もいるんじゃないんですか？」

と、早苗はきいた。

「そりゃあ、教団の中にも派閥みたいなものがあるわ。特に古い幹部の中には、急に力を持ってきた松岡のことを快く思っていない人もいるけど」

「その人に会いたいわ」

「そうね。何人かいるけど、一番会い易《やす》いのは柴田という人。あの教団では、一番の古い信者で、前は、教団の広報を、一手に引き受けていたんだけど、その仕事を松岡に取られたのよ。少くとも柴田はそう思っているわ」

「何とかして、柴田という人に会えないかしら」

と、早苗はいった。

「教団の中にいる時は、無理ね。松岡がガードしちゃうから。ただ、にしんそばが好きで、一日一回は食べるくらいの人なのよ」

「にしんそば？」

「ええ。松葉のにしんそば」

「ここに来る途中に、確か、その店の看板があったわ」

「南座のとなりよ」

「そこへ行けば、柴田という人に会えるんですね？」

「丁度その時、来ていればね。ただ、柴田が、いつあの店に来るかはわからないわ。気まぐれだし、来ないときもあるから」

「どんな顔で、どんな感じの人か教えて下さい」

と、早苗はいった。

「どうするの？」

「毎日松葉に通って、必ず柴田さんに会います」

早苗は、きっぱりといった。

2

早苗は、祇園の中にある旅館に泊ることにした。そこからなら、松葉まで歩いて行ける。柴田という幹部に会えるまで、毎日でも、そばを食べに通うつもりだった。

翌日から、昼になると旅館を出た。

四条通を、ゆっくり歩いて行く。十二、三分も歩くと、歌舞伎で有名な南座に着く。そのとなりに、にしんそばで有名な松葉がある。

いつも観光客で混んでいる。

早苗は奥のテーブルに腰を下し、にしんそばを注文する。入口を見ながら食べる。そばの上に、みがきにしんをのせるというのは、誰が考えたのだろうか。食べているうちに、にしんの味が、にじみ出てくるのが楽しい。

第一日目は、会えなかった。

時間がずれているのかと思い、早苗は夕方にも松葉へ出かけた。

二日目も空ぶり。

四日目の昼になって、やっと柴田と思われる老人にぶつかることが出来た。

早苗はその老人の前に、腰を下すと、

「柴田さんですね？」

と、きいた。

相手は眉《まゆ》を寄せて、

「どなたかな？」

「北条早苗というものです。この手紙を読んで下さい」

早苗は、例の手紙を差し出した。

「私には、興味がない」

と、柴田はいう。ニベもない口ぶりだった。

「教団に関係することです。あなたが大切に思っている教祖を、傷つける恐れがあることです」

「教祖は傷ついたりはしない」

「いえ。この手紙をお読みになれば、傷つく恐れがあることがわかりますわ」

「どうしてそんなことが、わかるんだね？」

「下手をすると、教団が人殺しをしていると誤解されかねないからですわ」

「そんなバカな——」

「とにかく、読んで下さればわかります」

早苗がいい、やっと柴田は手紙に眼を通してくれた。

早苗は、じっと相手の反応を見つめた。

柴田の顔がゆがんでくる。

「松岡君が、この女性を殺したとでもいいたいのかね？」

「そうですわ。それだけじゃありません。若い男性信者に、小林さんという人がいます」

「知っているよ。このところ顔を見ないが」

「彼は、松岡のことを警視庁に話しに東京へ行ったんです。彼はゆみを愛していましたから。松岡はそれを知って、若い信者に東京まで追わせ、殺させたんです」

「まさか――」

「本当です。わたしは、彼女の仇《かたき》を取りたくて、京都にやって来たんです。でも、教団という組織に守られていて、近づけません」

「それで？」

「何とかして、松岡と一対一で話し合って、仇を討ちたいんです。何とかそういう場所を作って頂けませんか？」

「どうしたらいいというのかね？」

「松岡は人殺しです。証拠はありませんが、間違いないんです。そのうちに、警察が教団に乗り込んで行って、逮捕することになりますわ。そうなれば、教団が非難されますよ。松岡はきっと、教祖にいわれて人殺しをやったと弁明するでしょうからね」

早苗は、脅すようにいった。

教祖に触れたことが、柴田の気持を動かしたようだった。

「確かに、そうなったら大変だ」

柴田の顔が、ゆがんでいる。

「間違いなく、そうなりますわ。警察も、この事件には注目しています。東京の警視庁も、京都府警も」

「どうしたらいいのかな?」

「何とかして、松岡を教団から追放すべきですわ。あの男は、教団を中からむしばんでいきますよ」

と、早苗はいった。

「この手紙を預っていっていいかね?」

と、柴田がきく。

早苗は考えてから、

「構いませんわ。その手紙をうまく使って、松岡を教団から追放して下さい」

「君は何処《どこ》に泊っているのかね?」

「祇園のN旅館です」

「何か連絡することがあったら、電話しよう」

と、柴田はいった。

その日、旅館に戻ると、早苗は東京の十津川に電話をかけて、ここまでの報告をした。

「それで上手《うま》くいきそうかね？」

と、十津川がきいた。

「わかりません。柴田という人に力があれば、何とかすると思いますが、松岡がうまく立ち廻《まわ》れば失敗です」

早苗は正直にいった。

「君が危険な目に会うようなことはないのか？」

心配して十津川がきく。

「大丈夫だと思います」

「それならいいが、注意はしてくれ」

と、十津川はいった。

二日たった夕方、旅館の早苗に電話がかかった。

「柴田さんとおっしゃってますよ」

と、仲居がいった。

「もし、もし」

早苗が出ると、相手は、

「北条早苗さんですね？」

柴田より、若い声だった。

「柴田さんじゃありませんね？」

「ええ。あなたが会いたがっている松岡です」

と相手はいった。

早苗の表情が険しくなった。

「どういうことでしょう？」

「あなたに、お会いしたいと思って電話したんです。どうもあなたは、僕のことを誤解している。それで弁明したいのですよ」

「どんな弁明でしょう？」

「とにかく、その機会を与えて下さい」

と、松岡はいった。

早苗はしばらく考えてから、

「ええ。いいわ。場所は？」

「そちらでいって下さい」

と、松岡はいう。

早苗は、大学時代に京都に来たことがあるが、この町にくわしくはない。

それで大学時代に散歩した場所にすることにした。

「鴨川の河原がいいわ」

「河原のどの辺です？」

「この旅館に近いところ」

「じゃあ、四条大橋をおりた所がいい。そこで会いましょう」

「ひとりで、いらっしゃるんでしょうね？」

早苗は念を押した。東京で殺された小林のことがちらりと頭をかすめたからだ。

「もちろん、ひとりで行きますよ。あなたもひとりで来て下さい」

と、松岡はいった。

3

夕暮の鴨川の河原は、アベックの天国になる。

夏の間、川沿いの料亭が川床《ゆか》を出す。川近くまで張り出す桟敷である。

そこには、灯がつき、客が食事を楽しむ。時には、舞妓《まいこ》を呼んでパーティもする。その川床のあたりの河原は明るかった。

松岡が先に来ていた。

「松岡です」

「北条早苗です」

と、ぎこちないあいさつのあと、松岡は、

「歩きながら話しましょう」

と、いった。

二人は河原を歩き出した。

(何のつもりだろう?)

と、早苗は相手の考えを憶測した。

「ゆみさんのことですがね」

「ええ」

「あなたは、大変な誤解をしている」

「そうでしょうか?」

「お互いに納得して別れたんですよ」

「彼女はそんな風にはいっていませんでしたわ」

「初めは確かに、お互いに愛し合っていたんです」

松岡は歩きながら、告白するようにいう。

「その後、僕は信仰の道に入った。僕は、彼女も同じ信仰の道に入ってくれたらと願ったんだが、彼女は反対だった。それが、お互いを離れさせたんだ。決して僕の愛情が消えたからじゃない。信仰の問題だったんだよ」

「それなら、なぜ彼女は京都で殺されたんですか？」

「僕じゃない」

「じゃあ、いったい誰が？」

「時々、観光に来た女性が殺されることがある。犯人も観光客でね。レイプしようとして拒否されて、男の方がかっとして殺してしまう事件が、頻発《ひんぱつ》していてね。京都に住む僕などは、京都の雰囲気を悪くするので、心を痛めているんです。それでうちの教団では、京都を楽しみに来て亡《な》くなってしまった人たちの霊を慰めようと、その人たちの仏像を作ってとむらうことに今年からしているんです。もちろん、ゆみさんの仏像も作りました。そんな僕が、彼女を殺す筈《はず》がないでしょう？」

「信じられませんわ」

「どういったら、信じてくれるんです？　僕は仏に仕《つか》える身なんです。そんな人間が、人を殺したり出来る筈がないでしょう？」

「なぜ、そんなに私に弁解するんですか？」

早苗は意地悪くきいた。

「僕はね、一人でも自分が誤解されていると思うと、落ち着かなくなるんですよ。それに教団まで誤解されると困りますからね」

松岡はいいわけがましくいう。

（嘘《うそ》をついてる）

と、早苗は感じた。

恋人だったゆみを、見殺しにした。いや、殺した男なのだ。そんな男が、一人の女性に誤解されたぐらいで、必死になってそれを解こうとするだろうか？

この男は自分の損得しか考えない人間だと、早苗は思っている。

そんな男が必死になるのは、きっと保身のためなのだ。

（あの手紙のせいなのだ）

と、早苗は内心、ニヤッとした。

きっと教団内部で、幹部の柴田が松岡を叱責《しっせき》したのだろう。あの手紙を突きつけて、である。

教団での自分の立場が怪しくなってきた。だから必死になって、早苗を丸め込もうとしているのではないのか。

「私は正直に全《すべ》てを話して頂きたいんです。それで京都へ来たんです」

と、早苗はいった。

「正直に話しましたよ」

「そうは思いませんわ」

早苗は立ち止まり、松岡の顔を見すえた。

近くの川床から、三味線《しゃみせん》の音が聞えてくる。団体客が舞妓と地方《じかた》を呼んで、酒宴を始めたのだ。

二人の舞妓が、祇園小唄《こうた》を踊っている。

「じゃあ、どういったらいいんですか？」

松岡は、眼をとがらせた。一瞬、この男の本性が覗《のぞ》いた感じだった。

「だから、正直に話してくれとお願いしているんです」

「どんな風にです？　僕は全て正直に話したつもりですがね？」

「あなたはゆみを殺したんじゃないんですか？　彼女の存在が邪魔になったから」

「バカなことをいわないで下さい。そんな話、誰も信じませんよ」

「いいえ。ひとり信じた人がいますわ」

「誰です？」

「小林さん。信者の一人である小林さんですよ。彼はゆみがあなたに殺されたのを知って、警察に知らせようとした。京都の警察に出向いたのでは、あなたに邪魔されると思ってわざわざ東京までやって来て、警視庁に行こうとしたんです。それであなたは、あわてて、小林さんを殺した」

「そんなことはしていない。ちゃんとしたアリバイがある。教団の誰にでも聞いて下さい」

松岡は、自信満々という顔でいった。

「なにもあなたが、自ら東京へ行って小林さんを殺したとは、いっていませんわ。あなたは自分ではめったに、そんなダーティな仕事はしない。頭のいい人みたいだから。きっと教団の中の、特に狂信的な若い人を使って殺させたんだわ。小林さんが京都の警察に行かなかったのは、そういう人たちに見張られていて危険だと思ったからに違いないの。だから、わざわざ東京へ出て行き、警視庁に訴えようとしたのよ。それを東京まで追いかけて行って、小林さんの口封じをしたんだと思っているの」

「なぜそんなことが、わかるんです？」

「小林さんがゆみのことを好きだったことは、京都へ来て聞いたわ」

「誰にです？」

「例えば、羽田ひろみさん」

「ふーん」

と、松岡は鼻を鳴らして、

「ああいう連中の話を信用したんですか」

「ああいう連中？」

「そうですよ。もともと信仰心の無かった連中です。ただ面白半分に教団に入って来た若者が、何人かいましてね。そんな連中は厳しい教団の信仰についていけなくて、脱落していく。彼等は自分たちの至らなさを反省する代りに、教団の悪口をいいふらしているんですよ。またそれを取りあげるマスコミがいて、彼等に金を払うんです。彼等は金のためならどんな嘘だってつく。そんな連中の言葉を信用してはいけませんよ」

「でも小林さんがゆみのことを好きだったのは、本当でしょう？　それは、信仰の有無とは関係ない筈だわ」

と、早苗はいった。

「確かに小林は彼女のことを好きだったのかも知れない。だからあることないこと、僕や教団を中傷することを、東京の警察に告げ口するために、行ったのかも知れませんよ」

「その彼を東京まで追いかけて行って殺したのは、あなたの仲間か、部下の人たちなんでしょう？」

早苗がいうと、松岡は大きく肩をすくめて、

「わが教団の信仰の大本にあるのは、『愛』ですよ。僕にも僕の周囲にいる若い連中に

も、その教えは生きています。そんな人間が人を殺しますか？」

「自分たちを守るためには、そうするでしょうね。あなたは自分を守るためにゆみを殺したんでしょう？　あなたにそそのかされた若い人たちは教団を守るためと思い込んで、東京まで追いかけて行って小林さんを殺したんですよ」

「うちの教団は、今、信徒一万以上、それも年々数を増し、隆盛の道を歩んでいます。たった一人の小林なる男が何をしようと、びくともするものじゃありません。わざわざ東京まで追いかけていって、殺す必要など全くないんです」

　松岡は、笑った。

「教団にとっては、そうでしょうね。第一、小林さんが警察に訴えようとしたのは、教団のことではなくて、教団で広報を担当しているあなたが、恋人を殺したという個人的な犯罪なんですよ。だから教団は、そんなに困らない。困るのはあなたなんです。それをあなたは教団の危機みたいに若者たちに吹き込んで、小林さんを殺させたんですよ」

「教祖も信頼している若い連中が、そんなことをする筈がない」

「じゃあ、小林さんを殺したのは誰だというんですか？」

「わかりません。しかし東京は京都に比べれば、はるかに危険なところでしょう。きっと物盗《と》りか何かにやられたんですよ。僕はそう思っている」

と、松岡はいった。

早苗はハンドバッグから、一つのメモを取り出して松岡に見せた。

「何です？」

「ここに書いてある五人の名前は、よくご存知でしょう？ あなたが手下みたいにして使っている若い人たちでしょう。この人たちの誰かが、あなたにそそのかされて東京へ行って、小林さんを殺したと思ってるの。この中の誰なの？ 進藤さん？ 長田さん？ 秋元さん？ 小松さん？ それとも吉村めぐみさん？」

早苗はじっと松岡を見つめた。

松岡は憎しみを籠《こ》めた眼で、早苗を見返した。

「君はいったい何者なんだ？」

「ゆみの親友よ」

「いや。ただの友だちなら、連中の名前なんか知ってる筈がない。やはり、あいつらと組んでるのか？」

「あいつら？」

「さっき話に出た羽田ひろみみたいに、教団をやめてった連中だよ。追放された連中だ。そいつらと組んで、教団を潰《つぶ》す気なのか？」

「バカな男ね。そんな風にしか考えられないの？ 私は教団にも、教祖にも全く関心がないわ。私が関心があるのは、教団でも教祖でもなくて、殺されたゆみと、殺したあなたよ。あなたに罪を償って貰《もら》いたいの」

「僕は殺してない」

「それを証明して下さい」

「僕のアリバイを証言してくれる人間が何人もいる」

「その五人の人たちなんでしょう？」

「――」

「ズバリなんでしょう。その五人以外にあなたのアリバイを証言してくれる人がいたら、教えて下さいな」

「――」

「やっぱりいないのね。それじゃあ、証人なんか一人もいないのと、同じじゃありませんか」

「君は刑事か？」

「ただの女ですよ。恋人を平気で捨てて、その上殺して平然としている男を憎む人間ですわ」

「君は、おかしな人だ」

「おかしいのはあなたよ。口先だけでも、信仰に生きているといっているんでしょう？そんな人が、一度は愛した女性を捨てて、その上殺してよく平気でいられますわね。心の無い人です、あなたは」

早苗はいいつのった。

松岡の顔がだんだんゆがんできた。しばらく黙っていたが、

「帰る！」

と、突然大きな声でいい、河原を足早に立ち去って行った。

4

早苗は歩き出した。

河原には相変らずアベックが何組も並んで腰を下したり、散歩したりしている。川床の上では、酔った客が騒いでいる。

早苗は歩きながら、ふと誰かに追《つ》けられている気配を感じた。女としての勘よりも、刑事としての勘だった。

早苗はゆっくり歩きながら、ハンドバッグから携帯電話を取り出した。

十津川に教えられた京都府警の番号にかける。

「捜査本部」

と、男の声がいった。

「警視庁の北条早苗です。石野警部をお願いします」

早苗は歩きながら小声でいった。

「石野です。十津川さんから、あなたのことは全て聞いています」

「今、鴨川の河原です。四条大橋にあがって、祇園の旅館に帰ろうと思っています。気のせいかも知れませんが、追けられている感じです」

「松岡とは？」

「今、別れました」

「すぐ何人か行かせます」

と、石野はいった。

早苗は携帯をハンドバッグにしまい、真っすぐに前を見たまま歩く。

追けられている気配は、相変らずある。

四条通はまだ賑《にぎ》わっている。この賑わいの中では、襲って来ないだろうと思いながら、一方ではこの雑沓《ざっとう》にまぎれて襲ってくるのではないかという思いが、早苗にはあった。

わざとゆっくり歩く。

南座の前を進む。道路の反対側に菊水というレストランがある。コーヒーも飲める店で、よく待ち合せに使われる店だった。

その店の前に、車が停《と》まるのが見えた。四人の男が乗っていて、一斉に早苗の方を見ている。

（刑事――）

と、直観した。京都府警の覆面パトカーに違いなかった。早苗は緊張が抜けていくのを感じた。

その瞬間だった。

ふいに背後から体当りされて、早苗は転倒した。同時に脇腹《わきばら》に、激痛が走った。

（刺された！）

と、思った。

それと一緒に、男たちの怒号が走り、二人の男が一人の男に飛びかかって行った。

こちら側にも府警の刑事がいたのだ。

早苗の五、六メートル先で、二人の男が若い男を組み伏せている。

それを見ながら、早苗の意識はうすれていった。

次に気がついた時は、病院のベッドだった。

中年の男の顔がのぞいていて、早苗に微笑《ほほえ》みかけ、

「府警の石野です」

といった。

「急所は外れていたので、大丈夫ですよ」

「犯人は？」

と、早苗はきいた。

「逮捕しました。名前は秋元弘。二十五歳。あの教団の信徒の一人です」

「あの五人の一人ですわ」

「そうです。完全黙秘ですが。しかし、彼があなたを刺したところは、二人の刑事が目撃していますから、起訴はできますよ」

と、石野はいった。

翌日には、早苗はベッドの上に起きあがれるようになった。石野がいったように、急所を外れていたのだろう。

「教団の柴田という幹部を何とかここへ呼んでくれませんか」

と、早苗は石野に頼んだ。

その日の午後、どうやったのかはわからないが、柴田を病院まで連れて来てくれた。

早苗は病室で、柴田と二人だけにして貰《もら》った。

「大丈夫ですか？」

と、柴田はきいた。

「ええ。私が柴田さんにゆみの手紙を渡したあとで、松岡から会いたいという電話が入りました」

「私は、彼にあなたの手紙を見せて詰問《きつもん》した。こういう不始末は自分できちんとしろと、怒ったんだが」

「それで、私に電話して来たんでしょう」

早苗は枕元《まくらもと》のハンドバッグから、小型のテープレコーダーを取り出して、柴田の前で再生のスイッチを入れた。

鴨川の河原での早苗と松岡の会話が、再生されていく。

その録音を再生し終ったあとで、早苗は、

「このあとで、南座の前で刺されました。刺したのは秋元弘という若い人です」

と、柴田にいった。

「うちの教団の青年部の一人だ。困ったことだ」

柴田は溜息《ためいき》をついた。

「青年部の人たちは、みんなこんなに凶暴なんでしょうか？」

「そんなことはない」

早苗がきくと、柴田はあわてて、

「そんなことはない。一部の人間が教祖の教えに反して、過激な行動に走るんだ。私たちも困っているんだよ」

「松岡のいうことを聞くのは、秋元を含めて五人だけと聞いていますが」

「ああ、このテープの中で、あなたがいっていた五人か。それは私も知っている」

「松岡は、自分の手でゆみを殺し、そのことを警視庁に知らせに行った小林さんを、この五人の誰かに殺させたんです。昨日、私を秋元に殺させようとしたように」

と、早苗はいった。

「この五人は私のいうことを聞かない。松岡のいうことは聞くが」

柴田は腹立たしげにいった。

「教祖のいうことなら、どうなんです？」

「そりゃあ、教祖の言葉は絶対だ。逆らえない」

「じゃあ、このテープとあの手紙を教祖に渡して下さい」

「それでどうなると思うのかね？」

「教祖だって、教団が大事なんでしょう？　教団が人殺しの集団と思われるのはお嫌でしょう？」

「もちろんそうだと思う」

「このままでいけば、人殺しの集団ということになってしまいますよ。ゆみが殺され、小林さんが殺され、今度は私が殺されかけたんです」

「松岡たちが人殺しだと証拠立てられれば、教祖も彼等を除名するだろうと思うんだが――」

「ゆみを殺し、さらに、五人の若者を使って、小林さんを殺したに違いない、と松岡を非難したあと、私は秋元に襲われたんです。それは間違いないんです。教祖にいって下さい。明日の新聞には、秋元のことが詳《くわ》しく報じられるだろう。下手に対応すると、教団自体を危うくすることになるって」

「君の望みは何なんだ？」

と、柴田がきいた。

「私が望むのは、先日お願いしたことと同じです。松岡たちを、教団から排除して下さい。松岡だけでも構いません。そのことが、教団のためでもあるんですから」

「わかった。今日、教祖に話してみよう」

と、柴田はいった。

「ただ、松岡たちには注意して下さい。自分たちを守るためには、何でもする人たちだから」

「わかっている」

「警察に頼んで、護衛を頼んだらいかがですか」

早苗がきくと、柴田は首を横に振った。

「そんなことをしたら、私が信徒の信用を失ってしまう。警察の手先だと思われてな」

彼はひとりで帰って行った。

柴田がうまくやってくれれば、松岡たちは教団から追放されるだろう。

松岡たちが、教団の庇護《ひご》の外に、孤立してしまえば、あとは料理するのはそう難しいことではない。

しかし、早苗は不安だった。

早苗は病室に石野警部に来て貰って、自らの不安を伝えた。

「彼も松岡たちに狙われると思っているんですか？」

石野は信じられないという顔だった。

「私はそれが心配ですわ」

「しかし柴田は教団の幹部でしょう」

「もともと、松岡は教団を乗っ取る気なんです。自分に反対している柴田などは、取り除くことに躊躇《ちゅうちょ》はしないと思いますわ。今、彼は自分の立場が危うくなっているとわかっているでしょうから、余計攻撃的になっていると思うんです」

「わかりました。ただ教団の中まで、柴田をガードすることは出来ませんよ」

と、石野はいった。

5

十津川と亀井が、心配して東京からやって来た。

早苗は自分が刺されたことが恥しくて、思わず、

「申しわけありません」

と、いってしまった。

「傷がたいしたことなくて、何よりだ」

と、十津川はいってから、現在の状況について早苗に説明を求めた。

早苗は松岡と話したこと、柴田のことなどを話した。

「今は柴田さんのことが心配です。松岡はより狂暴になっていると思いますから」

「松岡は自分の邪魔になるものは、全て力で排除する気でいるのか」

「そう思います」

早苗は肯《うなず》いた。

夜になって、柴田が行方不明になっていることを知らされた。

「教団にも戻っていないし、自宅にも帰っていません」

と、石野が十津川に教えてくれた。

「ここから車で帰ったんですね？」

「そうです。彼自身の車です」

「その車は、見つかったんですか？」

「いや、まだ見つかっていません。白のマークⅡの中古なんですが、今、全力をあげて

探しています。ここを出た直後に尾行していれば良かったんですが、少しおくれてしまいました」

「石野さんはどう思われますか？　殺人の恐れがあるかどうか」

「全くわかりません。とにかく見つけます」

と、石野はいった。

「松岡はどうしているんでしょうか？」

早苗がきく。

「それはわかりません」

「教団に電話したらどうでしょうか？　柴田さんが警察から出たあと、行方不明になったというんです。教団も狼狽《ろうばい》すると思いますよ」

と、早苗はいった。

「面白い」

と、石野が肯き、電話をかけることになった。

もちろん松岡が握っている広報にはかけず、直接教祖の秘書にかけた。

石野が自分で、

「柴田さんには、わざわざこちらにご足労願って、南座前の女性殺人未遂事件について、説明しました。犯人がそちらの秋元という若い信者だったものですからね」

と、説明した。

「われわれ警察は、教祖の指示でこの事件が起きたとは全く思っておりません。ただ、そちらの一部の信者が起こしたことだと思っています。なぜ、東京から来た女性が秋元に刺されたのか。それは、教団の広報担当の松岡さんが東京のゆみという女性を殺したという疑いに原因しています。ゆみという女性は、松岡さんと愛し合っていたのですが、子供が出来た頃から彼は冷たくなり、あげくに京都にやって来た彼女を殺してしまったと思われます。ゆみさんは親友に、松岡さんに自分は殺されるかも知れないと、手紙を送っていたのです。今回、その親友が、松岡さんに謝罪を求めてやって来たのですが、彼は謝るどころか自分を信頼している秋元に彼女を襲わせたのです」

「信じられません」

教祖の秘書の女はいった。

「当然です。松岡さんは教祖には何も話していないでしょうからね。何度も申しあげますが、われわれは教団全体に関しても教祖に関しても、疑ってはいないのです。ただ、殺人事件なので、犯人を逮捕したいのです。それで、そちらの幹部の柴田さんに来て頂いて、これまでのことを聞いて頂きました。たった一握りの人間、松岡さんと彼を信じている五人の若い人たちですが、その人たちのために教団全体や教祖が疑われたら大変なことになる。宗教界にとっても大きな損失だと申しあげました。柴田さんは、よくわかったといわれて、お帰りになったのですが、今、行方不明になっています。われわれの考えが正しければ、松岡さんたちが柴田さんの口を封じてしまったのではないか、その不安を感じています」

「信じられません」

教祖の秘書は、同じことを繰り返した。

「それで、われわれも柴田さんを探しますが、そちらでも探して下さい」

「わかりました」

「もう一つお願いがあります」

と、石野はいった。

「どんなことでしょうか？」

「松岡さんの仲間の一人、秋元は逮捕されましたが、あと四人、進藤一郎、長田信哉、小松猛、吉村めぐみ、そして松岡さん本人を、教団から除名して頂きたいのです。柴田さんにも、それをお願いしたのですよ」

「急にいわれましても。教祖は全ての信者は自分の子供だといっておられますので」

と、秘書はいう。

「腐った部分をそのままにしておくと、りんご全部が腐ってしまいますよ。それに、もしこの六人を除名、追放なさらないとわれわれとしては、教団全部を捜査対象にしなければならなくなるんです。教団を家宅捜索し、教祖にも参考人として事情聴取しなければならなくなります。そんなことはしたくないのですがね」

「柴田は、そちらと話し合ったんですね？」

「そうです」

少し間があってから、

「柴田が帰って来ましたら、自分にも報告して貰《もら》い、その上で判断したいと教祖はいっております」

と、秘書はいった。

6

教祖の願いはかなえられなかった。

翌朝早く、愛宕《おたぎ》念仏寺の近くで、柴田の死体が発見されたからである。

十津川や石野たちは、現場に急行した。

念仏寺の裏の草むらに、柴田の死体は仰向《あおむ》けに横たわっていた。

小柄な柴田は、首を絞められて死んでいた。強い力で絞められたらしく、首の骨が折れていた。

「北条刑事が渡した例の手紙や、テープもありませんね」

と、十津川はいった。

府警の刑事たちが、汗をたらしながら周囲の草むらを調べた。

まだ午前八時だが、三十度近い気温になっていた。京都特有のじっとりとした暑さである。

「何人もの足跡があります」

と、刑事の一人が大声でいった。

その足跡は入り乱れている。

多分、四、五人の人間が柴田を取りかこみ、殺したのだろう。

「松岡と彼の子分の四人でしょう」

と、石野がいう。

刑事の一人が、雑草の中から銀のバッジを一つ拾いあげた。

それを見て石野が、

「あの教団のバッジですよ。シルバーは幹部クラスのものです」

「殺された柴田はつけているから、犯人の一人のバッジということになりますね」

と、十津川はいった。

「そうです。松岡も幹部クラスですから、彼のバッジの可能性がありますよ」

石野が嬉《うれ》しそうにいった。

バッジには、ナンバーがついている。幹部の数は限られているから、このナンバーで誰のバッジかわかるのではないか。

「ここまで歩いて来たとは思えないから、車で来たんでしょうね」

十津川は周囲を見廻した。愛宕念仏寺へ来て、石仏（羅漢）を見た時の感動が思い出された。そして幼児の石仏を見ていた時のゆみの顔もである。

「タクシーで来たとも思えません。多分、彼等の誰かが持っている車でしょう」

と、石野がいった。

府警の鑑識が、周辺のタイヤ痕《こん》を調べ始めた。何本かのタイヤ痕の中から、一番新しく深いタイヤ痕を見つけ出して、石膏《せっこう》でそれを型にとっていく。

柴田の死体は司法解剖のために、京大病院に運ばれて行った。

「これからどうなると思われますか？」

亀井が額の汗を拭《ふ》きながら、十津川を見た。

「犯人は松岡たちだよ」

「それはわかっていますが――」

「彼等はやり過ぎた。教団の幹部まで殺してしまった。そうなれば、教団としても彼等を守り切れないだろう。下手をすれば、教団が潰《つぶ》れてしまうからね」

「じゃあ、教団は彼等を追放しますか？」

「せざるを得ないさ。組織というのは、いざとなると、容赦なく不要な部分を切り捨てるものだからな」

と、十津川はいった。

石野警部は、現場で拾った銀バッジを持って、教団に乗り込んで行った。それに、十津川と亀井も同行した。

教祖は姿を見せず、矢木という古手の幹部が応対した。

矢木は、柴田と同じくこの教団が信者百人から始まったとき、教祖を頂いたという幹部だった。最近は若手の信者が力を得ていたのだが、このところ続いた事件のため、古い幹部が力を盛り返してきたのかも知れない。

「われわれも、柴田さんの死を知って、ショックを受けています」

と、矢木はいった。

石野は例のバッジを相手に見せて、

「これが現場に落ちていました。幹部クラスの方のバッジでしょう？」

「そうです」

「裏についているナンバーから、誰のものかわかるんじゃありませんか？」

亀井がきくと、矢木は当惑した顔で、

「一応わかりますが、盗まれたというケースも考えられますから」

と、逃げた。

「今日、松岡さんは来ていますか？」

十津川がきいた。

「いや、今日はまだ姿を見ていません」

と、矢木が答える。

石野は、五人の名前を書いたリストを相手に見せた。

「このうち、秋元弘はすでに殺人未遂で逮捕しています。あとの四人と、松岡が共謀して柴田さんを殺したとわれわれは考えています。この四人は今日、来ていますか？」

「ちょっと待って下さい」

矢木は、教団内の電話で確めてから、

「四人とも姿を見せていないそうです」

と、いった。その顔が険しくなっている。

「それでわれわれからの要望なんですが」

十津川がいった。

「どんなことか、いって下さい」

「今、石野さんがいったように、われわれ警察は、松岡と四人が柴田さんを殺したと思っています。また松岡には、ゆみという彼の恋人を殺したという疑いがかかっています。更に、医師の相沢さんと同じ信者仲間の小林という青年を殺したという容疑が、秋元を含む五人の若者にかかっています」

「もし、それが真実なら、われわれの不徳の致すところだと思います」

「これから事件の解明のために、われわれは捜査するわけですが、松岡たちがこの教団の信者として居る限り、警察も捜査のために教団に出入りすることになります。家宅捜索もする必要があるし、関係書類の押収もしなければなりません」

十津川は脅すようにいった。

矢木の顔がますます、苦渋に満ちたものになってくる。

「もし教団が松岡たちを追放すれば、われわれにしても、教団内を調べる必要がなくなるわけですし、その方がわれわれも捜査をしやすくなります。われわれが教団内を捜査することになれば、当然マスコミも押しかけてくることになりますよ」

十津川は更に、相手を脅した。

矢木は、青い顔になって、

「今日一日は、教団の家宅捜索は猶予《ゆうよ》して頂けませんか」

「どうするんです？」

「教祖に話して、彼等を追放するように持って行きたいので、今日一日待って頂きたいのです」

と、矢木は頼み込んだ。

十津川や石野たちは、それを了解して、引き揚げることにした。

柴田の司法解剖の結果が出た。

死因は窒息死で、首の骨が折れていたことが確認された。

死亡推定時刻は昨夜の午後九時から十時にかけてだった。

柴田は昨日の午後二時半頃に、早苗の入院した病院に顔を見せている。三十分ほどして帰ったのだ。

柴田は手紙やテープを教祖に渡すと約束したのだが、教団に帰った様子がないから、途中で誘拐されたのだろう。誘拐され、監禁されたのだ。

そして、夜になって愛宕念仏寺の近くまで運ばれ、殺されたのか。

その時、柴田は抵抗し、そのため犯人の一人がバッジを落としたのか。

現場にあったタイヤ痕は、RV車のものと判明した。

松岡はRV車を持っていないが、四人の男女のうち、進藤一郎と小松猛の二人がRV車を持っていることがわかった。

さらに調べると、進藤一郎の持っているRV車のタイヤと、現場にあったタイヤ痕が一致することが分った。

六人乗りである。

これなら、柴田を含めて六人が一台のRV車に乗って現場に行くことが出来る。

また司法解剖の結果の報告の中に、柴田の身体《からだ》に何ヶ所か内出血の痕があったとも書かれていた。

彼は監禁されている間、犯人たちに拷問《ごうもん》を受けたということが考えられた。警察や北条早苗に何を喋《しゃべ》ったのか詰問《きつもん》されたのではないか。

十津川たちはその日一日、教団の反応を見守った。

翌日、教団幹部の矢木が、捜査本部にFAXを送ってきた。

〈昨日、教祖を中心にして、幹部一同、真剣に検討した結果、次のように結論したので、ご報告致します。

広報責任者の松岡功は、教義にそむき、教団に対して多大な損害を与えたので追放。

青年部の進藤一郎、長田信哉、秋元弘、小松猛、吉村めぐみの五人は、その粗暴な行為により、教団の信用を失墜させたことで追放。

今後この六人は、教団とは全く関係ないことを宣言致します〉

第七章 祇《ぎ》園《おん》祭《まつり》

1

京都の夏は暑い。その夏がやって来ていた。

十津川は、来る度に、京都の夏が暑くなっているような気がして仕方がない。京都の町全体が暑苦しくなっていくような気がするのだ。規制に例外を設けたため、高いビルがどんどん建てられて、町の風通しが悪くなったし、ビルのエアコンが吐き出す熱風も、間違いなく町を暑くしているのだと思う。

京都の古い町は、夏は窓にスダレを垂らし、障子、襖《ふすま》を夏用に替えて風通しを良くし、撒《ま》き水をし、風鈴を鳴らして暑さをしのいできた。今でも祇園の古い町並みでは、昔ながらの形で涼を取る。河原に座敷を作る川床《ゆか》も、その一つだろうか。

十津川は、京都の人たちは精神的に涼を感じようとしているのだと思っていたのだが、高いビルの少かった昔は、それで本当に涼しかったのだろうと思うようになった。

京都に夏が来たと実感するのは、祇園祭からである。

祇園祭は、実際には七月一日から始まって、ほぼ、一ヶ月にわたって行われる行事である。

だが本当に賑《にぎ》やかなのは、七月十六日の宵山《よいやま》と、七月十七日の山鉾《やまぼこ》巡行の本番の二日間で、そこから京都に本格的な夏が来るといわれている。

今年の祇園祭は、十津川にとって特別な日になりそうだった。

今回の事件がいよいよクライマックスを迎えようとしていたからである。

例の宗教団体から追放された松岡はどう出てくるか、それによっては、山鉾巡行の七月十七日までに逮捕できるだろう。

十津川や亀井たちも、松岡の逮捕にそなえて京都にとどまっていた。

京都市内には、十七日の巡行に備えて、各町内で合計三十二基の山鉾が組立てられて、人々が見物することになっている。

山鉾は美しく飾られた山車《だし》で、その上に乗った氏子が笛、太鼓、鉦《かね》で祇園囃子《ばやし》をかなでながら、京都の目抜通りをねり歩くのだ。

七月十五日の宵々山から提灯《ちょうちん》に明りが入り、十六日の宵山になると、夕暮と共に、ゆかた姿の人々がどっと町にくり出してくる。

十七日の本番より、宵山の方が賑やかだという人もいるくらいで、車道まで人があふれるのだ。

その宵山の日の昼頃、旅館にいた十津川に電話がかかった。

女の声で突然、

「助けて下さい」

その声に、聞き覚えがあった。

「高木亜木子さんですね？」

と、きくと、相手は、

「私、松岡に殺されます」

「どうしてですか？　彼とは仲が良かったんじゃありませんか？」

「それが、あの人、おかしくなってしまったんです。仲間と二人で、私を殺そうとしたんです」

高木亜木子の声は、ふるえていた。

「なぜ、あなたを殺すんです？」

「幹部になっていた教団から追放されて、おかしくなってしまったんです。私が、警察に行って何もかも話したら、といったら、とたんに殴られました。そのあと、彼の仲間が私を殺そうとしたんです。みんな、おかしくなってしまっているんです」

「松岡の仲間？」

「進藤とかいってました」

と、亜木子はいう。

あの五人の一人だと、十津川は思った。

「今、何処《どこ》にいるんですか？」

「迎えに来てくれるんですか？」

「こちらに来ることは、出来ないんですか？」

「出来ません。松岡と彼の仲間に見張られているんです。だから、誰か迎えに来て下さい。ああ。女の刑事さんがいたでしょう？」

「北条刑事——ですね？」

「ええ。その人を迎えに寄越《よこ》して下さい。一人で。何人も来たら、松岡たちに気付かれて、私は殺されてしまいます」

「証言してくれますね？」

「松岡がゆみさんを殺したことなら、証言しますわ」

「何処へ迎えに行けばいいんですか？」

「明るいうちは駄目です。松岡の仲間は五、六人もいるんです。今、私はある家の二階に隠れてるんですけど、家の近くに彼の仲間がいるんです」

「じゃあ、どうすればいいんですか？」

「日が落ちたら、今日は宵山ですわ。どっと人が繰り出すから、その人波にまぎれて逃げようと思っています。その時になったら、何処にいるか教えますわ」

「ゆかたは、持っていますか？」

「いいえ。どうしてです？」

「宵山では、ほとんどの人がゆかたを着るんです。だからゆかた姿の方が、連中に見つからずにすみます」

「わかりました。何とか用意しますわ」

「今度、電話するときに、ゆかたの柄も教えて下さい」

と、十津川はいった。

2

北条早苗は、もう元気を回復していた。

十津川は、彼女にも、ゆかたを調達させた。

早苗は旅館近くの三越で、椿《つばき》の柄のゆかたと、黄色の帯、それに下駄ときんちゃくを買ってきた。きんちゃくには、万一に備えて手錠と二二口径のベレッタを忍ばせていくのだという。

「高木亜木子は、本当にわれわれに協力するつもりなんでしょうか？」

と、早苗が十津川にきいた。

「彼女は痩《や》せても枯れても弁護士だ。松岡がゆみだけでなく、他にも殺人をしたのを知って、さすがについていけなくなったんだろう」

と、十津川はいった。

陽が落ちるにつれて、ゆかた姿の人々が町中に出始めた。

京都は着物の町というイメージがあるが、舞妓《まいこ》や芸妓《げいこ》などは別にして、一般の市民はめったに着物を着ることがない。下駄などはいている者は東京より少いだろう。

その人たちが、宵山の日は見事なほど一斉にゆかた姿に変るのだ。

宵山はよく雨が降る。今日は曇り空だが、雨は大丈夫そうだった。

午後四時頃から、人波が出てくる。各町内の山鉾には見物人が寄ってきて、写真を撮っている。

デパートでは、通りにまで出店を出して、祇園祭のウチワや扇子《せんす》、チマキなどを売っている。なぜか、郵便局員が露店を出して、葉書を売ったりもしていた。

山鉾《やまぼこ》の提灯《ちょうちん》に、明りが入った。町に祇園囃子《ばやし》が流れてくる。

特に賑《にぎ》やかなのが、山鉾巡行のある四条通である。

高木亜木子から電話が入った。

「北条刑事に四条通の大丸の前あたりを、ゆっくり歩いてもらうよう、言ってくれませんか。近くに松岡たちがいないと確認したら、私の方から声をかけます」

と、亜木子はいった。

「ずいぶん用心深いんですね」

「あの人たちって怖いんです。教団から破門されてやけになっていて、何をするかわからないんです。もう、何人か殺していますから」

「わかりました。時間は？」

と、十津川はきいた。

「午後八時にして下さい」

「あなたのゆかたの柄は？」

「ブルーの地に白いあじさいの柄が入っています。帯はだいだい色です。ゆかたと同じ柄のきんちゃくを持っています」

「北条刑事は、椿の花柄のゆかたに、黄色の帯です」

「くれぐれも、北条刑事ひとりで来るようにして下さい。あの人たちが警戒してしまったら、私が出て行けなくなりますから」

と、亜木子はいう。

「わかりました。北条刑事ひとりで行かせます」

と、十津川は約束した。

十津川は、府警の石野警部にも、このことは連絡した。

「大丈夫ですか？」

石野は心配そうにきく。

「高木亜木子が全部話してくれれば、松岡がゆみを殺したことを証明できます。どうしても必要な証人です」

「それはわかりますが、北条刑事は一度、連中に襲われているでしょう？」

「ええ。刑事としてではなく、ゆみの友人として松岡を脅迫して、そのために狙《ねら》われたのです。幸か不幸か、京都の新聞が彼女が刑事だとバクロしてしまいましたからね。向うも、北条君が刑事だとわかっている筈《はず》です」

と、十津川はいった。

京都のK新聞が、北条早苗が退院したあとで、実は警視庁の刑事だったとバクロしたのだ。

K新聞がどこからそのことを知ったのかは、はっきりとはわからない。が、それが正確だったので、十津川は驚いた。どうやら、記者の一人が東京支局にいたことがあって、その頃、北条刑事に会っていたらしいのだ。

しかし、今となってはその方が良かったと、十津川は考えていた。彼女が刑事だとわかったら、そう簡単には襲ったりしないだろうと思ったからだった。

午後七時に、早苗は三越で買ったゆかたを着て、出かけた。

四条通に入ると、ゆかた姿の人々であふれてくる。八坂《やさか》神社から始まって、四条河原町を抜け、四条烏丸《からすま》へ伸びる通りは、京都で一番の繁華街である。三和、富士といった大銀行や、高島屋、大丸といったデパート、それに証券会社などが、この通りに並んでいる。

大丸の近くには、長刀鉾《なぎなたぼこ》が飾られていた。

人々は車道にまであふれて、ぞろぞろと歩いている。

テレビ局の中継車が何台か出て、この人波をカメラで捕えていた。人々は、祇園祭のウチワを手に持ったり、チマキを下げている。このチマキは祭用なので、中にお餅《もち》は入っていない。

高木亜木子は、北条刑事に一人で来てくれといったが、十津川は万一を考えないわけにはいかなかった。早苗は前に一度狙われている。

石野と相談し、府警の刑事に遠巻きに張り込んで貰《もら》うことにした。

十津川自身も亀井と一緒に、遠くからだが、早苗を見守ることにした。

ただ、いかにも刑事という恰好《かっこう》で、宵山の人波に入っていくことは出来ないので、十津川たちもゆかた姿になった。

四条通に入ると、想像以上の人の波だった。

ほとんどがゆかた姿で、早苗の姿を確認しながら歩くのは難しかった。たちまちゆかたの若い女の群れに、まぎれてしまうのだ。

それに、早苗だけに、注意を払っているわけにはいかなかった。

松岡と四人の仲間のことが心配だった。早苗や高木亜木子に、危害を加えるとすれば、彼等五人である。その連中が、人波の中に隠れていないかについて、注意を払う必要があった。

早苗は着なれないゆかた姿で、大丸の前を行ったり来たりしていた。

京都には、こんなに人間がいたのかと思うほどの人波だった。

下駄の音がやかましい。

ふいに、耳もとで、

「北条刑事？　高木です」

と、声がかかった。

その声が、せわしい。

「連中が近くにいます。すぐ、ここから逃げましょう」

「こちらへ来て下さい！」

高木亜木子は、早苗を引っ張るようにして、四条通から脇道《わきみち》に飛び込んだ。

「何処《どこ》へ？」

「私、殺されます」

「大丈夫よ。私たちが守ります」

「その車に乗って下さい」

亜木子が、そこにとまっている車に、早苗を案内する。

「この車で？」

「少しでも早く、ここを離れたいんです。だから、ここに車をとめておきました」

「あなたの車？」

「レンタカーです。早く！　連中が来ます」

亜木子が声をふるわせる。その声にせき立てられるように、早苗は助手席に乗り込んだ。

亜木子が運転席に座る。

彼女がキーを廻す。エンジンがかかる。

「近くの警察署に行きましょう」

と、早苗がいった。

「はい」

と、亜木子が肯《うなず》き、車をスタートさせた。

そのとたんだった。

早苗は、背後から頭を一撃された。

3

十津川と亀井は、早苗を見失って狼狽《ろうばい》した。

「向うの脇道《わきみち》に入ったのを見ました！」

と、亀井がいう。

二人は人波をかきわけるようにして、四条通の人の流れから、脇道に飛び込んだ。

だが、そこに早苗の姿はなかった。一緒にいる筈《はず》の高木亜木子の姿もない。この路地には、四条通ほどの人の数はない。人々は四条通に向って歩いて行く。

十津川は携帯電話で、府警の石野警部に連絡を取った。

「北条刑事を見失いました。大丸の前から脇道に入ったところです」

「東洞院《ひがしのとういん》通ですね。高木亜木子は？」

「彼女も見つかりません。連中に誘拐されたのかも知れません」

「二人の服装は？」

「新しいゆかたを着ています。北条刑事は椿《つばき》の柄のゆかたで、黄色い帯です。高木亜木子は、彼女がいった通りなら、ブルーに白のあじさい柄のゆかたです」

「すぐ手配しますが、大変な混雑なので――」

と、石野がいった。

確かにすごい人波だった。この人波にまぎれて、松岡たちは女二人を誘拐したのだろうか？

「車を使ったんだ」

十津川は石野への連絡をすませると、亀井にいった。

「そう思います。四条通は交通規制で車が動きませんが、脇道へ入れば車が使えます。普通車だったら、十分に走れますよ。ただ、どんな車が使われたのか、わかりませんよ」

「連中は確か、バンを使っていたな」

「そうです。今はやりのＲＶ車です。教団の柴田を殺すときに使ったと思われる車です」

「その車を手配して貰おう」

十津川は、もう一度石野に電話をかけた。

石野たちも、大丸脇の東洞院通に集まってきた。

「問題のRV車を手配しました」

と、石野は十津川にいった。

「私のミスです」

十津川は正直にいった。

「北条刑事が誘拐されたことですか？」

「そうです。何とかして高木亜木子の証言が欲しかったので、彼女のいうままに、北条刑事をひとりで行かせてしまいました」

「しかし、連中が北条刑事を誘拐した理由は何なんですか？」

石野が首をかしげてきいた。

「二つ考えられます。逃亡するための人質にするつもりなのか、それとも、松岡の個人的な恨みなのか」

「個人的な恨みですか？」

「そうです。われわれは彼女を、殺されたゆみの友人に仕立て、松岡を脅迫しました。それが成功したわけですが、K新聞がその企《たくら》みをバクロしてしまいました。その記事を読んで、松岡は歯がみをしていたと思います。それが、北条刑事に対する恨みになっているということも考えられます」

と、十津川はいった。

「そう考えると、北条刑事は危険ですね」

石野がいう。

「そうです。ただ、松岡という男は、何よりも自分が大事な人間です。ですから、まず、安全に逃げることを考えていると思います。私には、逃走のため、彼女を人質にしているように考えられるのです」

十津川はそうあって欲しいという気持でいった。

「それでも、危険は危険ですよ」

「わかっています」

十津川は肯いた。たとえ、逃走のための人質にとっているとしても、危険な状態にあることに変りはないのだ。

十津川には、もう一つ心配なことがあった。

北条刑事が万一に備えて持っている、二二口径のベレッタ自動拳銃《けんじゅう》である。

彼女が松岡たちに誘拐されたとしたら、その拳銃も彼等の手に入ったとみなければならないのだ。

亀井も当然それを心配していた。

「ベレッタが、犯罪に使われる恐れがありますね」

と、亀井はいった。

二二口径だから、警官が普通持っている三八口径のリボルバーに比べて、殺傷力が小さいといっても、危険であることに変りはなかった。

十津川は、石野にも拳銃のことを話した。当然、石野の表情はより固くなった。険しくなったと、いってもいい。

「松岡は教団から破門されて、自棄《やけ》になっていると思われます。そんな人間が拳銃を手に入れたとなると、何をするかわかりませんよ」

石野は吐き出すようにいった。明らかに十津川たちを非難しているのだ。そういわれても、仕方がなかった。

十津川が黙っていると、石野は更に言葉を続けた。

「明日は、いよいよ山鉾《やまぼこ》巡行です。市民や観光客で道路はあふれます。府警もその警護のために人手を割かれます。そんな時、松岡たちに拳銃をぶっ放されたら、大変なことになりますよ」

「わかります」

「いや、十津川さんにはわかっていない。明日十七日が、どんなに大変な日か。日本中からというより、世界中から観光客が集まるんです。祭りは日本中にテレビ中継されます。この日に、何か事件が起きたら大変だと、府警全体がぴりぴりするんです。そんな時、危険な連中が人質を手に入れただけじゃなくて、拳銃まで手に入れてしまったんですよ」

「――」

十津川は黙って、石野の言葉を聞くより仕方がない。

「山鉾巡行のクライマックスは、四条堺町でのクジ改めです」

「知っています」

と、十津川は肯いた。

三十二基の山鉾は、巡行する順番が決っている。

長刀鉾はいつも先頭だが、あとの三十一基は、七月二日にクジ取り式で順番を決める。七月十七日には、そのクジ順に山鉾が並んでいるか、クジ改めが行われるのだ。

このクジ改めも、様式化されていて美しい。クライマックスにもされている。

「そのクジ改めに向って、松岡たちが拳銃を乱射したらどうなると思いますか？　祇園祭は大混乱になります。府警の責任も問われます」

石野が険しい顔で言葉を続ける。

亀井が、それに反撥《はんぱつ》して、

「しかしなぜ連中がそんなことをするんですか？　連中は何とかして無事に逃走しようと思っているんでしょう？」

「だから祇園祭を大混乱に陥らせて、その隙《すき》に逃亡することも考えられる。それを心配しているんです」

と、石野は声を荒らげた。

4

十津川はただ、石野の言葉を聞いているより、仕方がない。

とにかく十津川のミスなのだ。何とかして高木亜木子の協力を得たくて、彼らしくない、軽はずみな行動をしてしまった。

石野は、松岡たちが、まだ京都市内に潜伏していると考え、市内から出る全《すべ》ての道路と、駅に、刑事を配置するともいった。

北条早苗という人質を手に入れた連中は、当然、足が重くなっている筈《はず》で、それが彼等が市内にいる可能性が高い、という理由だった。

「ただ、明日は山鉾《やまぼこ》巡行の本番で、今日の宵山以上に人が出ます。観光客がどんどん入って来て、あふれます。検問と張込みで完全に連中を市内に封じ込められるか、正直にいって、自信がありません」

と、石野は付け加えた。

十津川も、連中がまだ市内に残っていることを念じていた。もちろん、北条刑事の救出を第一にと考えているが、それを口には出せなかった。

その夜、おそくなって、石野から電話が入った。

「事情が少し変りました」

と、石野がいきなり、いった。

「どんな風に変ったんですか？」

十津川は、不安を感じて、きいた。

「連中が、ついさっき自首して来たんです」

「連中って、誰のことですか？」

「例の四人ですよ。進藤一郎、長田信哉、小松猛、吉村めぐみの四人です。教団の青年部にいて、今回、教団から追放された連中です」

「なぜ、自首して来たんです？」

「連中は若くて元気が良かったが、所詮《しょせん》は背後に教団があってのことだったんです。それが、教団から追放されてしまって、糸の切れた凧《たこ》になっちゃったんですよ」

「それで殺人は自供したんですか？」

「ええ。秋元弘と一緒になって、東京で信者の小林を殺し、相沢圭一郎を河原で焼死させ、更に、幹部の柴田を殺したことを自供しました。全て教祖のためだと松岡にいわれ、それを信じてやった、といっています。だから、正しいことをやったのだと信じていた。ところが、その教祖から破門されてしまって、どうしていいかわからなくなってしまい、自首して来たといっています」

「ゆみ殺しについては?」

「あれは、松岡がやったことだといっています」

「それで、連中は松岡と一緒だったんでしょうか?」

「いや、教団を追放されてから、松岡とは一度も顔を合せていない。彼は女と一緒に逃げてしまったと、連中は腹を立てていますよ」

「女と一緒?」

「ええ。そういっています」

(高木亜木子に間違いない)

と、十津川は思った。

彼女の言葉は全て嘘《うそ》だったのだ。松岡に殺されそうになったというのも嘘なら、進藤たちに狙われているというのも嘘だったのだ。

亜木子は、まだ松岡と一緒だった。

そうなると、十津川に電話してきた理由は、一つしか考えられない。北条刑事を誘拐するためだ。それも、松岡と共謀してである。

二人だけで早苗を誘拐したということになると、彼等がまだ京都市内にいる確率は、さらに高くなる、と十津川は思った。問題の連中の助けを借りることが出来なかったからだ。

市内の捜査本部に、十津川や亀井も入った。

壁には、京都市の大きな地図が掲げられている。

京都府は南北に長い。北は日本海に面している。しかし、京都市街は山に囲まれていて、狭い。

千年以上の歴史を持つ古都なのだが、次第に名古屋や福岡などに追い抜かれていく。

「実際の面積以上に、京都は狭いと感じますね」

と、石野はいった。

「それは、古い町で、お互いがよく知っているということですか？」

十津川がきく。

「そうです。特に旧市街になると、百年、二百年、と同じ場所に住んでいますからね。それが祇園祭を続ける力にもなっているんですが、誰々さんが、昨日、祇園の何処《どこ》そこのお茶屋で遊んでいたとか、噂《うわさ》になってしまうんです」

「しかし、意識的に隠れている松岡と高木亜木子、それに人質になっている北条刑事を探すのは楽じゃないでしょう？」

「そうですね。特に、明日の山鉾巡行の混雑を考えると、尚更、骨だと思っています。午前九時から山鉾巡行が始まりますが、その巡行の道を、パトカーで走り廻るわけにはいきません。三十二基の山鉾は、長刀鉾《なぎなた》を先頭に、四条烏丸を出発、四条通を東へ進み、河原町で北へ曲がります。この時、青竹を地面に敷き、人力で方向転換をするので有名です。そのあと、山鉾は、御池《おいけ》通を進み、烏丸御池から、また各町内に戻るわけです」

と、石野は、その道順を地図で示した。

「一応、時間は一時間三十分ということになっていますが、山鉾はゆっくりと進むので、もっとかかるとみていいでしょう。その間、その道路は見物人で一杯になり、パトカーは走れません」

「問題は、松岡が何を考えているかということだと思います」

十津川は、捜査会議の時、本部長にいった。

河原本部長は、

「君はどう考えているんだね？」

と、きいた。

「彼がなぜ、北条刑事を誘拐したかということが重要だと思うのです。普通に考えれば、恋人の高木亜木子と二人で、逃亡するための人質にとったという答になるんですが」

「違うと思っているのかね？」

「人質なら、刑事よりも一般市民の方が有効ですし、誘拐も楽だと思うのです。子供でもいい、というより、子供の方が効果がありますから」

と、十津川はいった。

「じゃあ、君は何のために北条刑事を誘拐したと思っているのかね？」

「恨みです。石野警部にも話したのですが、北条刑事に、殺されたゆみの女友だちのふりをさせ、松岡をゆさぶりました。ゆみの手紙を偽造もしました。それで、松岡は狼狽《ろうばい》し、新しい殺人に走り、教団を追放されました。そのことを知って、北条刑事に復讐《ふくしゅう》することを考えたんだと思っています」

「それなら、すぐ、彼女を殺せばいいんじゃないのかね？　誘拐したというのは、何のためだね？」

「二つ考えられます。松岡という男が偏執的な性格で、ただ北条刑事を殺すだけでは満足しないのか、或《あるい》いは、彼女を人質にして逃亡に使おうとしているのか、どちらかだと思うのです」

「君は、どう思うかね？」

河原本部長は、石野に眼をやった。

石野は、ちらりと十津川に眼をやってから、

「簡単にこうだと決めるのは、危険だと思います。と、いうのは、松岡にしても、高木

亜木子にしても、さっさと京都から逃げればいいのに、わざわざ、北条刑事を誘拐しました。二人の行動パターンは、よくわかりません。それに松岡たちは、北条刑事の拳銃《けんじゅう》を手に入れました。これは、彼等にとっても、予想外のことだったと思います。拳銃を入手したことで、彼等は、その方針を変えたかもしれません」

「具体的にいうと、どんなことだね？」

「松岡は教団を追放され、ほとんど金を持っていないと思われます。高木亜木子にしても、大金を持っているとは思えない。それでも、とにかく、北条刑事を人質にして、京都市からの逃亡を考えていたのが、拳銃を手に入れたことで、銃を使って大金を奪うことを計画したかも知れません。金があればある程、逃亡は楽ですから」

「強盗か？」

「明日の祇園祭は、もし、そうするのなら、絶好のチャンスだと思いますね。京都にいる市民も、観光客も、全員が山鉾巡行に眼を奪われていますから」

と、石野はいった。

夜になり、雨になった。雷が鳴った。梅雨の終りを告げる雷だった。

5

翌日は、祇園祭から京都の夏が始まるという言葉通り、朝から強烈な太陽が照りつけた。

山鉾《やまぼこ》巡行の道には、人が集まってきた。

京都府警は、四条通の商店の二階に、捜査本部を置いた。

丁度、その部屋から、大通りの反対側にテントが張られているのが見える。山鉾巡行のクライマックスといわれるクジ改めが行われるテントである。

狩衣《かりぎぬ》姿の市長が、クジ改めの奉行になる。

行進して来た各山鉾はそこで止まり、先導係が、クジの入った文箱《ふばこ》を奉行に見せる。

その行く手に、観光客や市民の注目が集まるのだ。

先頭の長刀《なぎなた》鉾が動き出す午前九時には、道筋の両側に、見物人の人垣が延々と出来ていた。

十津川と亀井も、その二階に入っていた。

午前十時。

次々に眼の前を通り過ぎる山鉾の美しさに、見物人が歓声をあげている最中に、十津川の携帯が鳴った。

「私だ」

と、松岡の声が聞こえた。

十津川は、石野や亀井に合図を送ってから、

「北条刑事は無事か？」

「ああ。今のところは無事だ」

「君の要求は何だ？」

「一千万円」

「何だって？」

「金だよ。一千万円の金が欲しい」

「ノーといったら、どうする気だ？」

「女刑事を殺す」

「いいか。取引きは出来ない」

「こっちのいうことも聞け。なぜ、女刑事を誘拐したと思うんだ？」

「彼女を恨んでいるんだろう？　彼女がゆみの女友だちに化けて、君を追い込んだ。それを知って、君は復讐《ふくしゅう》に出た。だから、彼女をおびき出して、誘拐したんだ」

「その通りだ。それがどういう意味か、分かるか？　私はこうみえても、信心深い。だから、あの教団にも入った。人を殺すことに、ためらいが起きる。一般市民を人質にしたのでは、その人質は殺せない。だが、あの女刑事なら、平気で殺《や》れる。喜んで殺せるんだよ。それでも、一千万円は寄越《よこ》さない気か？」

と、松岡がいう。

向うも携帯電話を使っているらしい。動いているのだ。だから、逆探が難しい。

「取引きは、断る」

と、十津川は、くり返した。

「女刑事が死んでもいいんだな」

「彼女は警察官だ。危険は覚悟している筈《はず》だ」

「彼女を殺すだけじゃない。今、私はベレッタを持っている。弾丸も入っている。一般市民を狙《ねら》って撃つことは出来ないが、眼をつむって引金をひくことは出来るんだ。町は、山鉾巡行の見物客で、一杯だ。今、そうしたら間違いなく、何人もの人間が死ぬ。それでもいいのか？」

「どうしたらいい？」

と、十津川はきいた。

「一千万円。それを持って、私は日本を離れる。金はいくらでも欲しいが、一千万円くらいなら、すぐ作れるだろう？　三十分したら、また電話する。その間に一千万用意するんだ」

それで、松岡の電話は切れた。

「三十分間で何とか、一千万円の現金を用意して下さい」

と、十津川は、河原本部長にいった。

「君は、犯人と取引きをしないといってたんじゃないのかね？」

「北条刑事だけなら、取引きはしません。しかし、松岡は拳銃《けんじゅう》を持っていて、今日の見物客に向って引金をひく、といっているんです。そうなると、無関係な人間が何人も死ぬことになります」

「松岡が、本当にそんなことをすると思うのかね？」

「やると思って対応した方がいいと思います」

「私も同感です」

と、石野もいった。

「わかった」

と、河原も肯《うなず》き、銀行に頼んで一千万円を用意することになった。

三十分後に、松岡が電話してきた。

二階の窓の外では、まだ、山鉾の列が、ゆっくり、ゆっくりと、動いている。祇園囃《ばや》子《し》の音と人々の歓声が聞こえてくる。

「一千万円は用意できたか？」

と、松岡がきいた。

「出来た。どうしたらいい？」

「まず、名神に抜けるインターチェンジの検問を全《すべ》て撤去して、警官を帰らせるんだ」

「ノーといったら？」

「亜木子が人混みの中で、拳銃の引金をひく」

「その間に、君はひとりで逃げる気か？」

「そんなことは、私と彼女の間の問題だ」

「一千万円は？」

「京都南の大阪方面入口の料金所に預けるんだ。一時間後に、私がそれを受け取って、車で大阪に向う」

「北条刑事は？」

「私が、関空から飛行機に無事に乗れたら、彼女が居場所を教える。よく覚えておけよ。私が逮捕されたら、北条刑事は死ぬし、拳銃が乱射される」

「高木亜木子ひとりを犠牲にして、君だけが海外に逃げるというわけか？」

「彼女がそれを望んでいるんだ。とにかく、今からすぐ、京都南インターの料金所に一千万円を置きに行け」

と、松岡はいった。

松岡が電話を切った後、捜査本部では、意見が入り乱れた。

松岡のいうことなど聞くな、と河原本部長がいう。

「彼は、自分ひとりで逃げることを考えている。そんな男のいうことなんか聞くな。高木亜木子は、われわれが説得すれば、自分ひとりが犠牲になることの馬鹿《ばか》らしさがわかって、われわれのいうことを聞く筈だ。だから、京都南インターに、松岡が現われたら、逮捕する」

「もし、高木亜木子がわれわれの説得に応じず、北条刑事を殺す羽目になってしまったら、どうしますか？」

亀井が語気を強めていった。

「そんなことになると思うのかね？」

河原が反論する。

「女の気持というのは、わかりません。私なんかが見たら、松岡というのは最低の男です。恋人のゆみを邪魔になったからといって、殺したんですからね。それに信仰といってても、どこまで本当か疑問です。しかし、高木亜木子は、そんな男に対して、今のところ、捨て身でつくしている感じがします。危険を冒して、北条刑事の誘拐に一役買っているんです。理屈ではわかりません。松岡を海外に逃がすためには、何でもやりかねません。計算出来ない女心が怖いんです」

と、亀井はいった。

河原本部長も、その言葉に迷いの表情になった。

「計算出来ない女心か」

と、呟《つぶ》やく。石野警部も、亀井に同感だといった。

「ここは一応、相手の出方を見てみましょう」

「一千万円を、京都南インターの料金所へ届けるのか？」

「それでも関西空港で逮捕できます」

と、石野はいった。

十津川は、わざと意見をいわなかった。自分の部下の北条刑事の生命がかかっていたからである。露骨に、彼女を助けたいとは、いえないのだ。

府警の若い刑事が、料金所に一千万円を持って行った。

山鉾巡行の方は、まだ続いていた。先頭の長刀鉾はすでに元の町内に戻っているが、何しろ三十二基の山鉾が、えんえんとねり歩くのである。東京人の十津川から見ると、いかにものんびりとしていて、祭りのちゃきちゃきした勇ましさに欠けるのだが、地元の京都人には、このゆったりとした動きが心地良いのだろう。

高木亜木子から、十津川に電話が入った。こちらも携帯電話を使っている。

「約束を守って下さい」

と、亜木子はいきなりいった。

「約束？」

「松岡がいったことです。彼が向うに着くまで、絶対に警察は彼を逮捕しないという約束です」

「出来ないといったら？」

「私は今、拳銃を持っています。私のまわりには、沢山《たくさん》の見物人が、まだ続いている山鉾巡行を見ています。もし、松岡が逮捕されたとわかったら、眼をつむって引金をひきます」

「北条刑事は？」

「ある場所に監禁してあります。でも、私が黙っていれば、彼女は必ず死にますよ」

「松岡みたいな下らない男のために、なぜ、命がけでつくすんですか？　彼にそんな価値があるんですか？」

「私にとっては、ありますわ」

と、亜木子はいう。電話が、はっきり聞こえたり、急に雑音が入ったりする。彼女が人混みの中を歩いているからなのだろうか。

十津川は腹立たしさよりも、悲しくなった。なぜ、亜木子が松岡みたいな男につくすのか？　それも、殺人をしかねないほどにつくすのか？　それがわからなくて、悲しくなってくるのだ。

「カメさん。少しの間、この電話を受けていてくれ」

と、十津川は、携帯を亀井に渡した。

「警部は？」

「ちょっと会って来たい人間がいるんだ」

十津川は、そういって、階下へおりて行った。

6

山鉾《やまぼこ》巡行が終っても、市内は賑《にぎ》やかだった。午後四時からは、神輿《みこし》が八坂神社から繰り出し、各町内を廻ったあと、四条寺町へ進む。これに、鷺《さぎ》舞いも加わって、終日、賑わうのだ。

京都南インターの料金所で、一千万円を受け取った松岡は、名神を南に向った。車は、京都ナンバーのＲＶ車。

府警の覆面パトカーが、距離をおいて尾行するが、逮捕は控えた。

関西空港に着いた松岡は、一六時三五分出発のシンガポール行ＮＨ１１１便に乗ることがわかった。

松岡は電話でそういったあと、こう付け加えた。

「この便がシンガポールに着くのは、二二時一五分だ。間違いなく私が、向うについたことがわかれば、亜木子が警察に北条刑事の居場所を教え、拳銃《けんじゅう》を差し出すことになっている。このことが守られなければ、北条刑事は死ぬし、何人かの市民も死ぬことになる」

「自分だけ海外逃亡して、恥しくないのか？」

亀井が、電話に向けて、いった。

「彼女が進んでやってくれているんだ。それに、彼女は大した罪は犯していない。殺人はやっていないし、北条刑事の誘拐も、私に命じられてやったことだ。拳銃もまだ、一発も射っていない。すぐ、私と海外で暮らせることになる。警察が変なマネをしなければだ」

松岡は勝手なことをいって、電話を切ってしまった。

十津川が戻って来た。亀井は、松岡の話したことを伝えた。十津川は、腕時計に眼をやった。午後四時十分。

「あと二十五分で、出発か」

「関空には府警の刑事たち五人が到着しています。連絡次第、直ちに、松岡を逮捕できます」

と、石野がいった。

「しかし、高木亜木子が何処《どこ》にいるかわかりません」

亀井が口惜《くや》しそうに、いう。

「刑事を総動員して、市内をシラミ潰《つぶ》しに探し廻りたいんですが、そんなことをして彼女に気づかれたら、怯《おび》えて、拳銃の引金をひいてしまう恐れがあります」

と、石野が、いらだちを見せていう。

「まだ、あと二十五分ありますよ」

十津川は努めて冷静に、いった。

高木亜木子を見つけて、北条早苗が何処に監禁されているかを聞き出し、ベレッタ自動拳銃を取りあげなければならない。それが出来ない限り、関空にいる松岡を逮捕できないだろう。

関空の府警の刑事から、石野に連絡が入る。

「松岡は、もう搭乗手続に入っています」

「一六時三五分のシンガポール行は定刻通りの出発か？」

「おくれても、せいぜい五、六分だろうということです」

「松岡の様子は？」

「時々、何処かへ電話しています。多分、京都にいる高木亜木子に連絡しているんだと思います。松岡の定時連絡が途切れたら、彼が逮捕されたということになるんじゃありませんか」

「その時は、彼女が拳銃の引金をひくよう、しめし合せているのか」

「それを考えると、眼の前にいようが、松岡を逮捕できません」

と、刑事はいった。

十津川は、二階の窓から、じっと四条通の人波を見つめた。

この中に、亜木子がいるのは間違いない。何処を歩いているのだろうか？　観光客の中にまぎれているのか？　ともかく、彼女はベレッタ二二口径を持っている。それに、北条刑事の居場所を知っている。彼女の命を、亜木子が握っているのだ。

「ちょっと、歩いて来ます」

と、亀井がいい残して、階下へおりて行った。じっとしていることに耐えられなかったのだろう。ひとりで、探しても、簡単に亜木子が見つからないことは、わかっていても、身体《からだ》を動かさずにはいられなかったのだ。

案の定、五、六分して戻って来た。疲れた表情で。

あと、十五分。

突然、十津川の携帯が鳴った。彼が、受ける。その顔が緊張し、輝やいた。

「慎重にやって下さい。彼女は必ず、見に行く筈《はず》ですから、気付かれないように」

と、十津川はいった。

更に七、八分して、また、十津川の携帯が鳴った。

それがすむと、十津川は眼を光らせて、

「行きましょう」

と、石野に声をかけた。

「何処へ、何をしにです？」

「高木亜木子を捕まえに、です」

「見つかったんですか？」

「そうです」

十津川が立ち上る。府警の石野警部が続き、亀井も続いた。

パトカーのサイレンを鳴らしながら、北へ向って突っ走った。

「四条通周辺じゃないんですか？」

と、石野がきく。

「そう、見せかけていたんですよ。実際は、鞍馬《くらま》です」

「時間が――」

と、石野がいう。間もなく、一六時三五分になってしまう。

「関空に電話して、出発を遅らせて下さい」

「大丈夫ですか？」

「高木亜木子の居所がわかったんです。もう大丈夫です」

「それなら」

石野は、京都府警の刑事として、関空に電話をし、一六時三五分発のＮＨ１１１便に、爆弾を仕掛けたという電話が入ったから、出発を延期して、機内を調べるように、といった。これで、一時間は出発が延びるだろう。

それを、松岡が警察の罠《わな》と察して、高木亜木子に伝えるかどうかである。亜木子がベレッタの引金をひく前に、彼女を逮捕し、北条刑事を救助できるかどうかが、カギだった。

パトカーは猛烈な勢いで、鞍馬に向って走る。その途中のバス停で、四十歳くらいの男が手をあげていた。十津川が、その男をパトカーに乗せた。

「この先に、人の住んでいない農家があります。そこに彼女がいます」

と、男がいった。

十津川たちはその家の近くでパトカーを降りてから、そこに歩いて行くことにした。

若い男二人がいて、

「まだ向うの家にいます」

と、十津川に伝えた。

「ありがとう。あとは、われわれがやる」

十津川は三人の男を帰した。杉林の向うに廃屋に近い農家がポツンと見えた。

「あの中に北条刑事が？」

亀井が、声をひそめて、きく。

「いる筈だ」

十津川が短かく、いった。

「今の男たちは？」

石野がきく。

「あとで説明します」

十津川は拳銃を取り出した。万一、亜木子がベレッタを射ってきたら、射殺する気になっていた。

三人は熊笹《くまざさ》の中を、農家に近づいて行った。風がなく、汗がしたたり落ちてくる。熊笹が鳴るたびに、三人は足を止める。

やっと、建物に辿《たど》りついた。

中で、携帯電話をかけている高木亜木子の声が聞こえた。関空にいる松岡と連絡を取っているのだろう。

「出発が延びた？　警察が？——わかったわ。注意するわ。騙《だま》されやしないわ！」

その声めがけて、十津川たちは、三方から建物の中に飛び込んでいった。

亜木子があわてて、傍《かたわら》のハンドバッグから、ベレッタ二二口径を取り出そうとする。

その亜木子に向って、亀井が飛びついた。

十津川が、ハンドバッグを蹴飛《けと》ばした。

石野が、手錠を取り出した。

「高木亜木子だな。君を逮捕する！」

と、叫んだ。

亀井と、石野が折り重なるようにして、亜木子を押さえつける。

その間に、十津川は奥の部屋に入って行った。埃《ほこり》だらけの畳の上に、北条刑事が手錠をかけられ、無造作に転がされていた。

死んではいなかった。が、強い睡眠薬を投与されたとみえて、深い眠りの中にいる。

石野が、救急車を呼んでくれた。しなければならないことが、いくらでもあった。それも素早くである。

石野は、関空にいる府警の刑事にも、すぐ、松岡を逮捕する指示を出した。

そのあと、パトカーを鞍馬に呼んだ。

三台のパトカーと、鑑識の車が到着した。

逮捕した高木亜木子を、捜査本部に連行していくように、部下の刑事たちに命じたあと、石野は、十津川に向って、

「もう教えてくれてもいいでしょう。あの男たちは、何者なんですか？」

と、きいた。

「例の教団の信者たちですよ。何とか早く高木亜木子を見つけたい。だが、警察官が動き廻るのは危険だと考えているうちに、あの教団を思い出したんです。それで、教団のお偉方に会って、脅してやったんです。松岡たちを追放したからといって、信者の中に人殺しがいたということに変りはないんだ。しかもまだ、人殺しが行われる可能性がある。その汚名を晴らしたかったら、この女を探し出せといって、高木亜木子の写真を渡したんですよ。教団は、一万人の信者がいるといっています。しかも、殆《ほとん》どが、京都の人間です。私は、一万人の眼に期待したんです。しかも教祖の名誉がかかっているから、必死に探すだろうと。それがうまくいったんです」

と、十津川は、いった。

「なるほど。一万人の眼ですか」

「府警に相談せずに動いて、申しわけありません」

と、十津川は、詫《わ》びた。

石野は、一瞬、複雑な表情をしたが、

「構いませんよ。事件の解決が全《すべ》てに優先しますから」

と、いった。

関空で、松岡は逮捕され、京都の捜査本部に連行された。

まず、京都で起こした殺人と誘拐事件について、高木亜木子と共に、府警に訊問《じんもん》されることになる。

そのあと、松岡と亜木子は東京に移送され、東京で起きた殺人事件について訊問を受けることになる。少し時間がかかりそうだった。

その間に、十津川は、ひとりで、愛宕《おたぎ》念仏寺に出かけた。普通なら亀井と一緒に行くのだが、今日だけは、ひとりになりたかった。

今日もまだ、祇園祭は続いている。

そして、暑かった。京都は、七月十七日から、本格的な夏に入っている。京都特有の暑さだ。盆地のために、風らしい風がなく、じっとりと暑い。

愛宕念仏寺に、人影はなかった。

蟬《せみ》の声だけが、やかましい。

十津川は、あの幼児の石仏（羅漢）の前で、立ち止った。屈《かが》んで、じっと、その幼児の顔に見入った。

この石仏を彫った相沢圭一郎も、すでに、この世にはいない。

初めて、岡部ゆみを見た時のこと、この念仏寺で、彼女がこの幼い石仏を見つめていた時のことが、なぜか、ひどく遠い昔のことのように、思えて仕方がなかった。

何人もの人間が、死んだせいなのだろうか。或《あ》いは、全てが終ったという虚脱感のせいだろうか。

十津川は、途中で買った花束を、幼児の石仏の前に、そっと置いた。

「終ったよ」

と、十津川は、誰にともなく呟《つぶ》やき、立ち上った。

寺を出て、山道をゆっくりと、歩き出す。また、暑さが強くなったような気がした。

(ひと雨、欲しいな)

と、思った。

解説

香山二三郎

日本のミステリー小説の舞台背景にいちばん数多く登場する場所はどこか、といえば、これはもちろん東京で決まりだろう。

では、二番目の街は？　三番目は？

そうなると、とたんに返事に窮するのは筆者だけではあるまい。

むろん候補が少なくて思いつかないのではない。多すぎて判断がつかないのだ。地方を舞台にした作品は昔から少なくないが、特に近年の地方進出ぶりには目を見張るものがある。ひとりの作家が日本の様々な土地を意図的に舞台に選んで描くようになったのは比較的最近のことだが、では、日本ミステリーの舞台の地方進出が目立ち始めたのは果たしていつ頃からなのか。

個人的には、その出発点は一九五八年辺りだったのではないかと思っている。この年は鉄道の列車運行表（ダイヤ）を駆使した松本清張のベストセラー『点と線』（新潮文庫他）が刊行された年であり、旧国鉄初のブルートレイン「あさかぜ」が誕生した年でもあった。いわばトラベルミステリー元年ともいうべき年。ただ、そこから一気に地方進出が加速したわけではなく、鉄道の進化と鉄道ミステリーの進化が連動して人々を〃ディスカバー・ジャパン〃に誘うようになるのは、さらにそれから二〇年後のことであった。

そのトラベルミステリー・ブームのパイオニアとなった西村京太郎『寝台特急殺人事件』(光文社文庫他)が刊行されたのは一九七八年。以後四半世紀の間、北海道から九州まで、西村ひとりでも数えきれないほど様々な土地を舞台に描いてきたことになる。十津川《とつがわ》警部シリーズの作品とその舞台については、たとえば山前《やままえ》譲・和住《わずみ》紫麻《しお》による鉄道路線・駅・区間別「十津川警部の事件マップ」(『西村京太郎読本』KSS出版)を見れば、彼の足跡が見事に日本各地に散らばっていることが一目瞭然《りょうぜん》に出来よう。その散らばり具合からしても、東京以外のどこに人気があるのか、わかりにくいことはお察しいただけるのではあるまいか。

まあ普通に考えれば、札幌、仙台、名古屋、大阪、広島、福岡等、やはりその地方を代表する大都市が上位にくるのだろうが、西村小説が面白いのは、そうした大都市指向があまり強くないこと。とりわけ不思議に思われるのは、トラベルミステリーを書き始めた当時から長らく居住していた京都が舞台の作品が少ないことである。

してみると久しぶりの京都ものに当たる本書は、西村ファンにとってそれだけでも充分一読に値する作品といっていいだろう。本書は「京都 恋と裏切りの町」のタイトルで「小説新潮」一九九八年六月号から一二月号まで連載された後、翌九九年三月、『京都 恋と裏切りの嵯峨野《さがの》』に改題のうえ新潮社から刊行された。

(なおこの先、解説上、物語の種を少し明かす箇所が出てくるので、本書の中身をまだお読みになっていない人は、ここから先は読了後にお目通しください)

物語はゴールデンウイーク後、十津川がひとりで京都に息抜きの旅に出るところから始まる。祇園《ぎおん》の和風旅館を宿に決めた彼はそこで美しい女客に目を奪われるが、その後訪れた愛宕《おたぎ》念仏寺や近くの尼寺でも彼女の姿を目撃する。女はどこか思い詰めた様子だったが、案の定、寺の備えつけのノートに「神さま、許して下さい。私は、彼を殺します」という不穏な言葉を残していた。十津川はすぐさまその後を追うが見失ってしまう。女は旅館からも姿を消していた。宿帳に記された名前は東京の弁護士のもので、彼女に心当たりはないという。その後尼寺のノートから問題のページが破り取られるなど謎《なぞ》は深まるが、大きな事件は起きなかった。だが安心もつかの間、やがて嵯峨野の竹林から女の他殺死体が発見され、さらに被害者について十津川に問い合わせてきた青年も東京・皇居外苑《がいえん》の公衆トイレで他殺死体となって発見される……。

西村小説には何故《なぜ》京都ものが少ないのか、その謎はさておき、作品世界においても十津川はあまり京都へいったことはないらしく、「京都へ行くのは、確か三度目である。前回行った時も、今日と同じように荒《すさ》んだ心をいやすためだった」と冒頭にある。ただ、彼にとって京都は必ずしも癒《いや》しの土地ではなかったはずで、たとえばかつて「夜行列車『日本海』の謎」（光文社文庫他『雷鳥九号殺人事件』所収）では、愛妻の直子が京都で瀕死《ひんし》の重傷を負わされたあげく殺人容疑を受けたことから、それを晴らすべく東奔西走する羽目に陥っている。あるいはその後訪れた回数が少ないのもそのせいなのかもしれないが、本文庫に収録されている『神戸　愛と殺意の街』では阪神大震災が起きる前、十津川はやはり京都に旅していた。それを考えれば、過去のトラウマはとうに消え去り、今では恰好《かっこう》の休息地になっているととらえるべきなのか。

とまれ、本書でもまた血腥《ちなまぐさ》い事件に巻き込まれることになるが、それによって十津川が落ち込んだようにはみえない。いや、落ち込むどころか、本書ではむしろ犯人をつかまえるべく警官としての倫理を問われそうな危険を冒してまである種の賭《か》けに打って出てみせるのである。

本書の読みどころは、まずその十津川のいつにも増してアグレッシブな姿勢にあろう。彼が強行突破に踏み切る理由はズバリ宗教を背景にした犯罪者に対する捜査への不満にある。容疑者が怪しげな新興宗教の関係者でもじっくり腰を据えて策を練る——京都ならではの生活文化に根ざした対応ぶりは警察捜査においても同様で、亀井《かめい》刑事などそうした持久戦法に歯がゆさを表明せずにはいられない。当初は郷に入ったら郷に従えと諭していた十津川も、さすがにこの情況にこらえきれなかったとみえる。九〇年代の日本社会を震撼《しんかん》させた事件のひとつにオウム真理教事件を始めとする宗教犯罪があるが、犯行が明るみに出され、教祖や幹部が逮捕されてもなお教団が解散を命じられるケースは滅多にない。本書に、宗教を楯《たて》にした犯罪者への怒りとともに宗教犯罪に対する偏《かたよ》った措置への批判が込められていることは想像に難くない。

さらにまた、シリーズものとしては後半に登場する北条早苗刑事の活躍ぶりも読み逃せない。十津川シリーズでは彼の仲間たちが活躍するケースが少なくなく、相棒の亀井刑事はもとより、西本、日下《くさか》刑事といった若手の部下が主役を務める話もあるし、橋本豊のように警官から探偵になった後もたびたび登場するキャラクターもいる。警察社会は男社会なのでどうしても男臭くなるのが難ではあるが、そんな中、チームの紅一点ともいうべき彼女の存在は貴重だ。彼女が初めて登場した（ただしこのときは「北原早苗」と記されている）『臨時特急「京都号」殺人事件』（祥伝社文庫他）では、男嫌いの美人刑事として紹介されていたが、本書でも危険な囮《おとり》役を引き受け、クールにこなしきっている。自分が傷を負いながらも、それが「恥しくて」、思わず十津川に「申しわけありません」といってしまう辺り、天晴《あつぱ》れな女丈夫ぶりといえよう。ただデビュー作でも京都に向かうサロンエクスプレス内で事件に巻き込まれることになったわけだし、十津川とは違い、彼女にとって京都は依然として鬼門なのかもしれない。

いっぽう、事件を追う十津川たちの足跡がそのまま京都観光案内にもなっていることはいうまでもないだろう。祇園から嵐山《あらしやま》、嵯峨野へと出だしは洛西《らくせい》方面が舞台になるが、中盤は洛北・鞍馬《くらま》から京都の奥座敷、亀岡市の湯の花温泉、さらに後半は東山の八坂神社、清水寺へと移っていく。これでクライマックスに祇園祭まで用意されているとなれば、実際の観光コースとしても充分通用しそうだ。京都市街の三方をカバーした舞台設定の妙からしても、京都通ならではの配慮が凝らされたトラベルミステリーというほかない。

それにしても、これなら今までいくらでも京都ものが書けたはずだが、何故西村小説には京都ものが少ないのか。実は著者がトラベルミステリーに進出したとき、すでに京都ものの有望な書き手がいたのだ。「ミステリーの女王」山村美紗《みさ》である。山村はアメリカ副大統領令嬢キャサリンの活躍を描いたシリーズ第一作『花の棺《ひつぎ》』（光文社文庫他）以来、京都を舞台にした一連の本格ミステリー系作品で名を馳《は》せたが、と同時に、著者の盟友としてもつとに知られた。著者のトラベルものと山村の京都ものと、ふたりが互いに研鑽《けんさん》し合って創作活動に励んできたことは、著者が山村に捧《ささ》げた自伝的小説『女流作家』(朝日新聞社)からも読み取れよう。いわばトラベルものと京都ものは両輪状態にあったわけで、これまで著者があえて京都ものに手を染めなかったのも当然というべきか。

残念ながら、山村との盟友関係は彼女の突然の死によって解消されることになる。それから一年余り後に書かれた本書は単なる京都ミステリーではなく、著者の山村ミステリーへの鎮魂歌としても読むことが出来よう。筆者には、「ひと雨、欲しいな」と心の中で洩《も》らす十津川のラストシーンの姿に著者の姿が重なってみえてならないのである。

(二〇〇一年二月、コラムニスト)

この作品は平成十二年三月新潮社より刊行された。

西村京太郎ホームページ

【i-mode 完全対応】

http://www4.i-younet.ne.jp/~kyotaro/

もし、/~kyotaro/の「~」を入力できない時や、
i-mode でのやり方が解らない等ご不明な点は
09040633996@docomo.ne.jp までEメールするか電話
（090-4063-3996）で、お名前とご希望の時間帯を留守番
電話に録音して下さい。折り返しご連絡致します。

なお上記用件以外のお電話は一切致しません。
また上記用件以外のお電話は固くお断りします。

•ホームページ作成管理者タカ•

西村京太郎著　**黙示録殺人事件**

狂信的集団の青年たちが次々と予告自殺をする。集団の指導者は何を企んでいるのか？十津川警部が〝現代の狂気〟に挑む推理長編。

西村京太郎著　**ミステリー列車が消えた**

全長二〇〇メートルに及ぶ列車「ミステリー号」が四〇〇人の乗客ごと姿を消した！奇想天外なトリックの、傑作鉄道ミステリー。

西村京太郎著　**展望車殺人事件**

SL展望車の展望デッキから、若い女性が姿を消した……。自殺か、それとも？旅情とロマンあふれるトラベル・ミステリー5編。

西村京太郎著　**大垣行345M列車の殺意**

東京駅23時25分発の夜行列車に乗っていた若い女が殺された。その容疑者に十津川警部の友人が!?　傑作トラベル・ミステリー4編。

西村京太郎著　**ひかり62号の殺意**

「ひかり62号」で、護送中の宝石強盗の片割れが射殺された！主犯の男を追い、十津川警部はマニラに飛ぶが……。長編ミステリー。

西村京太郎著　**特急「あさしお3号」殺人事件**

特急「あさしお3号」の車内で、十津川警部の友人の新進作家が殺された！鉄壁のアリバイに十津川警部が挑む表題作など3編を収録。

内田康夫著

幸福の手紙

「不幸の手紙」が発端だった。手紙をもらった典子の周辺で、その後奇怪な殺人事件が発生。事件の鍵となる北海道へ浅見光彦は急いだ！

内田康夫著

皇女の霊柩

東京と木曾の殺人事件を結ぶ、悲劇の皇女和宮の柩。その発掘が呪いの封印を解いたのか。血に染まる木曾路に浅見光彦が謎を追う。

恩田陸著

球形の季節

奇妙な噂が広まり、金平糖のおまじないが流行り、女子高生が消えた。いま確かに何かが大きく変わろうとしていた。学園モダンホラー。

恩田陸著

六番目の小夜子

ツムラサヨコ。奇妙なゲームが受け継がれる高校に、謎めいた生徒が転校してきた。青春のきらめきを放つ、伝説のモダン・ホラー。

北村薫著

スキップ

目覚めた時、17歳の一ノ瀬真理子は、25年を飛んで、42歳の桜木真理子になっていた。人生の時間の謎に果敢に挑む、強く輝く心を描く。

北村薫著

ターン

29歳の版画家真希は、夏の日の交通事故の瞬間を境に、同じ日をたった一人で、延々繰り返す。ターン。ターン。私はずっとこのまま？

新潮文庫最新刊

宮沢賢治著
天沢退二郎編
宮沢賢治万華鏡
賢治の創作は、童話や詩に留まらない。遺された絵画、習字、短歌、書簡、花壇設計図からメモまで、その多彩さを窺い知る絶好の万華鏡。

姫野カオルコ著
ブスのくせに！
美人じゃないけどかわいいとは？　俳優・タレント・キャラを実例に、美をディープに考察。ヒメノ式「顔ウォッチング」の決定版。

養老孟司
南伸坊著
解剖学個人授業
ネズミも象も耳の大きさは変わらない!?　えっ、目玉に筋肉？　「頭」と「額」の境目は？　自分がわかる解剖学——シリーズ第3弾！

井田真木子著
フォーカスな人たち
黒木香、村西とおる、太地喜和子、尾上縫、細川護熙——バブル時代に写真週刊誌をにぎわせた5人が抱えていた苦悩を描く傑作ルポ！

城山三郎著
イースト・リバーの蟹
ほろ苦い諦めや悔やみきれぬ過去、くすぶり続ける野心を胸底に秘めて、日本を遠く離れた男たちが異郷に織りなす、五つの人生模様。

杉山隆男著
兵士を見よ
事故死の恐怖、強烈なGの圧迫。それでもF15のパイロットはなぜ空を飛ぶのか。体験搭乗して彼らの心情に迫る自衛隊ルポ第二弾！

京都《きようと》 恋《こい》と裏切《うらぎ》りの嵯峨野《さがの》

新潮文庫　に－5－13

平成十三年四月一日発行

著者　西《にし》村《むら》京《きよう》太《た》郎《ろう》

発行者　佐藤隆信

発行所　株式会社 新潮社

郵便番号　一六二―八七一一
東京都新宿区矢来町七一
電話 編集部(〇三)三二六六―五四四〇
読者係(〇三)三二六六―五一一一

価格はカバーに表示してあります。

乱丁・落丁本は、ご面倒ですが小社読者係宛ご送付ください。送料小社負担にてお取替えいたします。

印刷・大日本印刷株式会社　製本・加藤製本株式会社

ISBN4-10-128513-6 C0193